UNE FEMME AIMÉE

ANDREÏ MAKINE

UNE FEMME AIMÉE

roman

ÉDITIONS DU SEUIL
25, bd Romain-Rolland, Paris XIVᵉ

ISBN 978-2-02-109551-7

www.seuil.com

pour G. D.

I

Ce grand miroir s'abaisse, telle une fenêtre à guillotine. La femme qui vient d'actionner le levier sourit : chaque fois, un petit frisson. Et si le cadre heurtait le parquet et que le verre éclatait ? Mais le contact est feutré – le monde est coupé en deux. De ce côté-ci, un salon blanc et or. De l'autre, dissimulés par le miroir, une alcôve, une bougie, un homme nu qui halète...

Un chambellan s'insinue dans le salon. « Majesté, monsieur le chancelier est là. » La femme est déjà installée derrière un pupitre, une plume à la main. Sous une longue robe, sa chair est gorgée d'amour. « Priez-le d'entrer ! »

Elle va au-devant d'un vieillard aux yeux aqueux, à la carrure trop massive pour la maigreur de ses mollets gainés de blanc.

« Prince, j'espère que vous venez pour m'annoncer le rétablissement de l'ordre dans le gouvernement de Kazan... »

L'audience terminée, elle s'élance vers le levier. Le miroir monte, découvre l'alcôve… L'homme dont, tout à l'heure, elle a interrompu l'étreinte avait un corps puissant, marqué de balafres. Le nouveau reclus est svelte, sa bouche a un tracé tendrement boudeur… Il pousse un cri de plaisir juste au moment où le chambellan toussote derrière la porte avant d'annoncer une visite. La femme se dégage, remet son habit, rajuste sa coiffure. Le miroir descend, cache la baie de l'alcôve…

« Monsieur l'ambassadeur d'Angleterre, sir Robert Gunning ! »

Elle va vers un fauteuil où sommeille un chat, le chasse d'une rapide caresse.

« Venez près du feu, Excellence. Vous ne devez pas être habitué à nos frimas russes… »

Le départ de l'Anglais. Le miroir remonte. L'amant a une chevelure crépue, d'une blondeur d'albinos, des lèvres épaisses. À la Cour, on le surnomme « Nègre blanc ». La femme se donne à lui avec une efficacité experte… L'homme est sur le point de jouir quand une toux chuinte dans l'antichambre.

« Majesté, le feld-maréchal Souvorov ! »

« Cher Alexandre Vassiliévitch ! On me dit que le sultan fuit devant nos armées victorieuses. À quand le siège de Constantinople ? »

L'alcôve s'ouvre. Un amant presque timide. La femme

a l'impression de le posséder et, en même temps, de lui apprendre à la posséder…

« L'ambassadeur de France, monsieur de Breteuil ! »

Elle reste assise, mine indifférente et, tout en laissant l'homme s'approcher, triture une prise de tabac.

« Alors, monsieur le baron, votre cour s'entête à penser que ma haine vous honore plus que mon amitié ? »

Le miroir se lève : un amant, très jeune, pleure, balbutie des griefs, puis se calme tel un enfant consolé.

« Majesté, Sa Majesté le roi de Suède ! »

En parlant au roi, la femme garde sur ses lèvres du sel laissé par les larmes de son amant…

« Majesté, monsieur Diderot ! »

« Cher ami ! Vous autres, philosophes, vous ne travaillez que sur le papier qui souffre tout. Moi, pauvre impératrice, je travaille sur la peau humaine qui est bien plus irritable et chatouilleuse… »

Diderot s'emporte, gesticule, prophétise, part.

La femme fait remonter le miroir. L'amant rit : « Il vous a de nouveau rouée de coups, ce malotru de Français ? » Elle se serre contre lui, attrape son rire dans un baiser. « Non, désormais, je me cache derrière un guéridon… »

« Monsieur le comte de Cagliostro ! »

« Grande tsarine ! J'ai fait fondre cet alliage dans les entrailles ignivomes du Vésuve. Ses vertus rajeunissantes… »

Le miroir monte, descend, remonte… Présidente de l'Académie, princesse Dachkova. Levier. Son Altesse sérénissime le prince Potemkine. Levier. Giacomo Casanova, agent de l'Inquisition. Levier. Prince Paul, fils mal-aimé. Levier. Comte Bobrinski, fils illégitime. Levier. Marquis d'Ormesson. Levier. Comte de Saint-Germain. Levier…

Oleg Erdmann tourne et retourne un miroir de poche : l'envers en cuir noir – l'obscurité de l'alcôve, le verre – le salon où l'impératrice reçoit les visiteurs.

Le reflet découpe l'exiguïté de la chambre où il vit : un canapé, une vieille armoire, ces livres qui écrasent les étagères. Sur sa table de travail brille le rictus métallique d'une machine à écrire. Trois feuilles, séparées de papier carbone – les exemplaires de son…

« De mon délire », se dit-il, devançant ceux qui jugeront son scénario. Le pire serait le simple dédain : « Avez-vous seulement feuilleté quelques brochures sur la vie de Catherine II, jeune homme ? »

« Davantage que vous tous ! » Oleg le chuchote avec défi, bravant le mépris d'un jury imaginaire. Il a tout lu, annoté, il connaît la vie de l'impératrice mieux que… Mieux qu'il ne connaît sa propre vie ! L'idée le stupéfie. C'est vrai, il ne sait plus ce qu'il faisait, disons, le 22 mars 1980. Ni la veille ni le lendemain. Ces dates, si récentes encore, se sont effacées en miettes de gomme.

Plus facile de reconstituer la vie de l'impératrice, à deux siècles de distance!

Qu'est-ce qu'elle fait déjà dans les premières scènes? Ah oui! Elle prise du tabac. Avec sa main gauche, l'autre étant réservée aux baisemains... Il y a aussi ce guéridon qu'elle met entre elle et Diderot. Dans sa fougue, le philosophe lui donne des tapes sur les genoux. « Je suis couverte de bleus », se plaint-elle en riant... Breteuil? Peu apprécié de Catherine, comme la plupart des diplomates français. En 1762, elle lui demande de financer le coup d'État en préparation. Versailles refuse. Londres engage les frais. Bilan : une brouille avec la France, de juteux contrats pour l'Angleterre... L'un des occupants de l'alcôve est le « Balafré » – Alexeï Orlov, aussi téméraire que son frère Grigori, l'amant en titre. Une nuit, profitant de sa ressemblance avec Grigori, Alexeï réussit à se glisser dans le lit de la jeune tsarine. L'obscurité facilite l'usurpation. Au plus fort des ébats, Catherine découvre les cicatrices sur le visage de l'homme... Et Cagliostro? Il dupe les âmes naïves de Saint-Pétersbourg, parle aux esprits, offre des cures de jouvence... Catherine le chasse, elle n'aime ni les charlatans ni les francs-maçons. Ou peut-être est-elle jalouse de son épouse, la ravissante Séraphinia? L'Italien part en magicien : à minuit précis, douze carrosses franchissent, chacun, l'une des douze portes de la ville. Dans chaque équipage, le même Cagliostro et une Séraphinia. Et dans le registre des

voyageurs, à chaque barrière, la signature du mage…
Qui encore? Le comte Bobrinski, le fils de Catherine
et de Grigori Orlov. L'enfant naît juste avant le coup
d'État, il faut le cacher au tsar. Enveloppé dans une
pelisse de castor (« castor »: *bobr* en russe), il est porté en
lieu sûr… Le comte de Saint-Germain arrive en Russie
au printemps 1762. Pour prendre part au complot? Le
marquis d'Ormesson est l'un des rares Français à trouver
grâce aux yeux de l'impératrice, n'est-il pas cousin de
Louis-François d'Ormesson qui, en 1789, s'est opposé
à l'ouverture des états généraux, prédisant la catastrophe? Casanova, venant en Russie, s'achète une serve,
la surnomme « Zaïre » et, miracle! s'attache à cette jeune
fille. Tout en la trompant avec un bel officier Lounine,
ce qui amuse beaucoup Catherine. À Giacomo, elle
préfère son frère Francesco, le peintre dont le pinceau
immortalise les victoires de Potemkine… Et puis son
fils mal-aimé Paul! Avant le repas, cet enfant malingre
change les bristols des marque-places pour être assis à
côté de sa mère… Une mère qui signe des traités de paix,
reçoit Diderot, correspond avec Voltaire, bat les Turcs
(ce qui réjouit l'humaniste de Ferney). Et qui, parfois,
s'approche d'un grand miroir, actionne un levier…

« Ça va donner un *soap opera* à la sud-américaine, l'a
taquiné un jour l'un de ses camarades. Une série télévisée de trois cents épisodes et demi! » Désemparé, Oleg

a bredouillé : « Pourquoi "et demi" ? » L'autre, éclatant de rire : « Mais parce qu'il te faudra au moins une demi-heure pour énumérer tous les amants de Cathy ! »

Les moqueries n'ont rien changé à sa résolution. Oleg voulait tout savoir sur Catherine : son emploi du temps (quinze heures de travail journalier), sa façon – très simple – de se vêtir, ses goûts culinaires sobres, ses lubies (ce tabac qu'elle prisait, son café intensément fort). Il connaissait ses vues politiques, ses lectures, la person-nalité de ses correspondants, ses fringales charnelles (sa « rage utérine », raillée par tant de biographes), son habitude matinale de se frotter le visage avec de la glace, sa passion pour le théâtre, sa préférence pour monter à cheval à califourchon plutôt qu'en amazone…

Oui, tout sur Catherine. Sauf que, souvent, ce « tout » paraissait étrangement incomplet.

L'énigme était à chercher, peut-être, du côté des paroles naïves qui échappaient, parfois, à cette femme si cérébrale : « Le vrai mal de ma vie, c'est que mon cœur ne peut vivre un seul instant sans aimer… »

« Tu dormais, ou quoi ? J'ai sonné dix fois ! C'est ta poivrote de voisine qui m'a ouvert... Ah, notre scénariste écrit sur sa Cathy-catin ! Je peux lire ton chef-d'œuvre ? Mais réveille-toi, Erdmann ! Embrasse-moi ! Fais-moi un café, espèce de momie... »

Oleg sourit à travers un brouillard de visions : un salon blanc et or, un miroir qui monte, une alcôve... Les lèvres de Lessia sont glacées. Il revient au présent : cette chambre dans un appartement communautaire, quinze habitants répartis dans les sept pièces, une cuisine commune, l'unique salle de bains. Un enfer quotidien, et pourtant on peut y être heureux (ses parents, de leur vivant, le disaient : en enfer, profitons du feu...). Il est heureux de sentir la neige sur le manteau que son amie lui abandonne, la chaleur du corps qui se serre brièvement contre lui. Heureux de voir Lessia se poser au milieu du désordre et, par sa présence, y créer de l'harmonie. Heureux même de traverser l'interminable couloir où stagnent les effluves des vies entassées, de se retrouver dans la cuisine – félicité, il est seul! Et de glisser sa cafetière sur le fourneau écrasé sous de lourdes marmites de soupes familiales. Un vasistas est ouvert – l'air glacé aiguise la senteur torréfiée. Un vertige de bonheur: une femme aimée l'attend à l'autre bout du dédale communautaire...

Du couloir, il voit l'intérieur de sa chambre: Lessia lit, allongée sur le canapé. Avec une moue de gamine, elle souffle pour chasser une boucle de cheveux qui lui chatouille la joue... Ces derniers temps, il remarque des détails qu'il n'aurait jamais notés sans la scrutation maladive avec laquelle il observe la vie de la Grande Catherine. Celle que les historiens appellent « la Messaline russe » et qui, pour Oleg, redevient une enfant d'autrefois – une petite princesse allemande qui regardait la neige tomber sur la Baltique...

Il a envie de dire à Lessia qu'imaginer cette enfant oubliée nous laisse deviner une autre façon de vivre. Et d'aimer...

« Erdmann, retire tes lacets, tu auras besoin d'une corde! »

Lessia dramatise son jeu: déformation professionnelle dans leur milieu de jeunes cinéastes. Pourtant, il ressent une saccade de respiration, comme après un coup au plexus solaire.

« Non, vraiment, tu n'as plus qu'à te pendre! Ton scénario, c'est du *delirium tremens*. Et il n'est même pas drôle! Regarde-moi : je ne ris pas, non? Je suis juste effarée. Ce miroir, cette alcôve, c'est quoi, ça? Tu imagines la tête des spectateurs? Ils ne rigoleront pas non plus…»

Oleg tend une tasse à Lessia, tâche de garder son calme.

«Ce n'est pas vraiment un scénario destiné à faire rire…

– Pardon? Tu ne vas pas me dire que ce vaudeville grotesque est à prendre au premier degré?

– Si, c'est exactement comme ça que je vois l'histoire…»

Lessia, toujours dans un jeu théâtral, s'étrangle avec son café. Oleg se sent soudain trop faible pour lutter.

«Tu as lu combien de pages, Lessia? Onze? Tu verras, après, tout rentre dans l'ordre. La chronologie, la biographie… L'enfance de Catherine en Allemagne, puis sa venue en Russie où elle épousera le futur Pierre III. Elle aura des amants et quand son mari montera sur le trône, ses amants le tueront, elle régnera, mènera des réformes, battra le sultan, séduira les philosophes français… Rassure-toi, toutes les réalités historiques seront respectées, même l'ampleur des crinolines… Mais, attends, tu ne restes pas?»

Sa voix dérape sur une supplique et il se rend compte que pour retenir Lessia il serait capable d'écrire même ces platitudes-là : enfance, jeunesse, grand règne…

«Non, ce soir, on fait une fête chez Ziamtsev – il

vient d'avoir l'autorisation de tourner. Et comme il n'est pas ton meilleur copain… En plus, tu as du boulot. C'est très fort, ton histoire! La jeune Catherine dans sa petite principauté minable, dans cette Allemagne miteuse, et puis, hop! la voilà au sommet d'un empire! Ça donnera une jolie *success story*. Seulement, promets-moi de couper les onze premières pages…»

Lessia attrape le petit miroir de poche qui traîne à côté de la machine à écrire, se remet du rouge à lèvres.

Il l'accompagne jusqu'à l'entrée. Dans la cuisine, une femme est assise sur un tabouret, le regard perdu au milieu de la voltige neigeuse, derrière la fenêtre noire. «La poivrote…», chuchote Lessia, en lançant un clin d'œil à Oleg.

La porte claque, il repasse devant la cuisine, salue la femme: «Zoïa, merci d'avoir ouvert à mon amie, tout à l'heure…» La femme opine, à travers un songe. Elle a un beau visage vieilli par la fatigue et, sans doute, par l'alcool… Il n'a jamais vu quelqu'un venir la voir. Parfois apparaît sur le fourneau la vieille bouilloire de Zoïa – un ustensile datant probablement du temps de la dernière guerre.

Revenu dans sa chambre, Oleg ramasse les feuilles éparpillées, ces pages que Lessia lui conseille de couper: le miroir monte, l'alcôve apparaît, le miroir descend… Les ombres défilent, chacune incarnant, pour Catherine, l'impossibilité d'être aimée.

La nuit, l'insomnie s'installe à son chevet, en visiteuse familière. « Un vaudeville grotesque », disait Lessia en parlant de son scénario... Mais la vie, est-elle vraiment autre chose ?

Il y a un an, il a soumis l'idée de ce film à son professeur – son maître – Lev Bassov. Le vieil homme l'a écouté, mine compatissante, puis s'est mis à parler comme à un convalescent qu'il faut ménager : « Le sujet est ardu... Pour mille raisons : pratiques, car cela coûterait une fortune (costumes, scènes de bataille...), et politiques, là, je n'ai pas besoin de t'expliquer. Et puis, il y a dedans de quoi tourner plusieurs longs-métrages. Le coup d'État de 1762, la grossesse intempestive de Catherine, le meurtre du tsar. Et Potemkine ? Un tel personnage, ça te crève l'écran ! Et la jacquerie *seulement* de Pougatchev ? C'est vrai, Pouchkine en a fait un récit assez compact – un romancier peut dire : "Pougatchev ordonna l'assaut et la ville tomba." Mais essaie de le filmer avec quatre cents figurants! Le plus délicat, ce n'est même pas ce temps qu'il faudra compresser. Non, c'est le mystère humain. Paul, son fils, qui est-il au juste? Un crétin germanophile haï par sa mère? Ou bien un être tragique que cette haine a tué? Non, Catherine de A à Z, ça ne donnera qu'une reconstitution costumée de plus. Ou alors un dessin animé... Tu ne vas pas te lancer dans l'animation, non?»

L'idée les a fait rire. Oleg a promis de ne pas imiter Walt Disney... Il a commencé à lire, à bâtir ces pyramides de livres qui empiétaient sur son espace vital. Catherine s'est glissée dans tous les recoins de sa pensée et, la nuit, dans ses rêves. L'air s'est imprégné de la senteur du «siècle catherinien», comme disent les Russes, l'odeur savoureuse et amère des vieilles reliures de cuir... Son érudition lui devenait pénible: des centaines de personnages avaient violé son intimité, des êtres tourmentés, extrêmes, héros aux destins démesurés. Et il fallait les conduire sagement, d'une scène à l'autre, dans un film d'une heure quarante.

Il a vécu des périodes de désespoir, décidant cent fois de lâcher prise. Puis, un jour, une intuition a surgi: il fallait bel et bien filmer à la manière d'un dessin animé!

Le grand miroir monte, l'alcôve est vide, le jeune amant, Mamonov, vient d'annoncer à Catherine qu'il aime une autre femme. L'impératrice pleure, s'aigrit, médite une vengeance... Le miroir descend et, dans l'alcôve, un nouveau favori, vingt-deux ans, étreint la tsarine qui en a plus de soixante. Le miroir monte. La guerre contre la Turquie. Le miroir s'abaisse. Juillet 1789. L'infidèle Mamonov est cruellement puni. Miroir. À Paris, ces canailles de Français narguent le roi – Ormesson avait raison! Miroir. Catherine relit *Les Lettres persanes*. Miroir. Le favori s'appelle Zoubov, «dent», en russe. «J'ai une dent contre lui», maugrée Potemkine qui alterne la guerre contre les Ottomans et les délices de son harem dont font partie ses propres cinq nièces. Miroir. Les gardes de Louis XVI sont décapités, leurs têtes hissées sur des piques suivent le carrosse du roi… Miroir. Catherine se lève comme d'habitude à cinq heures, se frotte le visage avec un glaçon, se prépare un café. De Paris, son ambassadeur lui apprend que la populace s'est amusée à friser les cheveux des têtes plantées sur leurs piques…

L'Histoire: ce dessin animé, en noir et sang. Il arrive à Catherine de haïr les jolies doctrines des philosophes français.

L'insomnie dure. «Ton scénario, c'est du délire!» disait Lessia… Oleg se lève et, sans allumer, se faufile entre les amas de livres, grimpe sur une chaise, s'appuyant sur l'armoire. De la rue, le réverbère diffuse une luminescence verdâtre, suffisante pour retrouver ce cylindre de verre. On dirait une torchère cerclée de bronze.

Non, c'est une vieille lanterne magique. Il la serre avec précaution, la pose sur sa table. Le mécanisme est cassé, autrefois un ressort imposait une lente rotation aux personnages découpés sur du carton noir : des dames en crinoline, des messieurs en perruque... Oleg fait tourner le cylindre, le halo du réverbère projette une marche de fantômes sur la porte de la chambre.

Il cherche à retenir ses larmes, se mord les lèvres, se hâte de ramasser les silhouettes en carton, de ranger la lanterne avant de se recoucher. Cette relique cassée appartenait à sa mère...

La pièce où le docteur Rogerson officie n'a rien d'un cabinet médical. Décors lourds, mobilier Régence, tentures pourpres. Les feux d'un candélabre fixent la présence muette d'un jeune homme nu. Il se laisse palper, se crispant quand la main du médecin inspecte ses parties génitales. L'indolence consentante du patient donne à la scène l'aspect d'un manège charnel... Mais déjà l'Anglais pousse un grognement satisfait et invite le patient à se rhabiller. Celui-ci s'exécute – uniforme bleu, cuissardes, bicorne : un beau chevalier-garde. Il quitte la pièce en faisant tinter ses éperons.

La galerie qu'il emprunte est sombre, des statues y surgissent comme d'une réserve de musée : des profils antiques, le marbre de la musculature... Il traverse un jardin d'hiver, hume ses moiteurs et, derrière une porte basse de style oriental, découvre une étuve – le pavillon des Bains maures. Une femme l'aide à se dévêtir. Elle porte juste une tunique qu'elle enlève dès qu'ils pénètrent à l'intérieur des bains. La flamme d'une bougie fait voir un petit corps robuste, aux seins bien fermes. La nudité rend provocante sa coiffure relevée. Elle embrasse l'invité, murmure des mots caressants. Encouragé par ce sans-gêne, il l'enserre avec force, cherche à l'entraîner vers une banquette recouverte de tapis... Avec une agilité de lézard, elle se libère, parcourt la pièce et, de la banquette, lui fait signe de venir. Il se précipite gauchement, excité par l'esquive. La femme s'échappe de nouveau, rit, émoustille son hôte. L'homme la rattrape, empoigne ce corps fuyant, le renverse, puis se reprend : il n'est pas là pour assouvir ses désirs mais pour en démontrer la vigueur. Il sent le serrement d'une main sur son sexe, la femme s'assure que le temps n'a pas affaibli la tension musculeuse chez ce jeune prétendant...

La mèche de la bougie se noie dans la cire. On entend le crissement d'un amadou. Le feu jaillit mais l'endroit est tout autre : une chambre, un lit sous un baldaquin de brocart. L'homme qui vient d'allumer tâche de rassurer sa jeune épouse alertée par un bruit... Ils n'ont pas le temps de se recoucher – plusieurs soldats s'engouffrent dans la pièce, ligotent l'homme. Sa femme est violée sous ses yeux...

Les soldats s'en vont par une galerie dallée de marbre. Le martèlement de leurs pas effraie une adolescente égarée dans cet immense palais. Ils vont la voir, la tuer pour se défaire du témoin de leur crime! Elle se réfugie dans une salle qui ressemble à un laboratoire de naturaliste. Des étagères vitrées, des bocaux où macèrent d'étranges reptiles… Et soudain, ces deux bocaux-là! Deux têtes humaines ouvrent leurs yeux troubles. Un homme et une femme. Derrière la porte, les bottes cognent. «Il faut que j'aie le courage de soutenir le regard des décapités. Alors, je saurai dompter ce pays dément!» Elle scrute les deux faces dans leur tombe liquide. Elle n'a plus peur de rien. La voyant sortir de ce musée des horreurs, les soldats se mettent au garde-à-vous. Leur officier la salue. Il y a du théâtre dans leur rencontre – seule façon de ne pas voir le monde à travers les yeux vitreux des décapités… Plus théâtral encore, ces aveux: l'ancienne adolescente, devenue une belle femme voluptueuse, se confesse. L'officier lui reproche d'avoir connu quinze amants. «Seulement cinq!» assure-t-elle. L'homme l'absout et va dîner avec ses maîtresses. Au dessert, un plat insolite – un vase rempli de diamants. Les femmes se servent à volonté… Celle qui vient de se confesser n'assiste pas à ce repas. Son laquais pose devant elle un grand fauteuil couvert de dorures: le trône d'un pays disparu. Elle rit aux larmes à l'idée de ce qu'elle va faire de cette relique.

Dans son sommeil, Oleg cite des noms, des dates… L'effort de mémoire l'éveille. Non, il ne divaguait pas!

L'épisode des Bains maures? Vrai. Les favoris de Catherine, avant de mériter son alcôve, passent ce double examen : le docteur Rogerson atteste leur santé physique, la comtesse Bruce s'assure de leur puissance sexuelle. Le viol de la jeune mariée? À la tsarine, le favori Mamonov préfère une demoiselle d'honneur. La vengeance frappe les amoureux pendant leur lune de miel… Les têtes dans l'alcool? Catherine les découvre dans le cabinet des curiosités de Pierre Ier : Marie Hamilton, une maîtresse infidèle du tsar, et Wilhelm Mons, l'amant de son épouse… Un dessert de diamants chez Potemkine? On connaît la date de ce dîner… Catherine qui confesse ses amours? Le texte de ses aveux existe… Un trône qu'on lui apporte en trophée? Le meuble vient de la Pologne anéantie. La tsarine en fera une chaise percée!

Il ferme les yeux, fuit dans l'endormissement. Résonne ce seul écho : le monarque du trône percé est Poniatowski, l'un des premiers amants de Catherine. Un dandy myope qui la suppliait de ne pas faire de lui le roi de Pologne…

Le brouhaha d'une dispute. Les enfilades du palais fusionnent avec le couloir d'un appartement communautaire. Les voisins d'Oleg se chamaillent dans la file d'attente pour la salle de bains – l'habituelle gymnastique verbale qui leur donnera le courage de descendre dans une rue encore noire, de se jeter à l'assaut d'un bus.

Il s'enroule dans sa couverture, conscient d'être un privilégié qui n'a pas à se lever à six heures du matin. Un autre privilège : il n'a pas à décrire ce que les personnages de son scénario éprouvent. Pendant le tournage, les comédiens trouveront le ton juste, la gestuelle appropriée. Alors que, s'il était écrivain... Dirait-il que la comtesse Bruce échappait aux désirs du postulant avec une agilité de lézard ? On n'a jamais demandé à un lézard femelle de tester un congénère !

L'idée le fait sourire. Il peut enfin dormir sans rêves.

Aucun fantôme au moment du réveil. Soleil, cristaux de givre sur les vitres, rapide secousse d'un tramway dans la rue. Au mur, au-dessus de son lit, se déroulent à la verticale ces longues affiches avec leurs inscriptions au feutre rouge.

La première résume le bilan que Catherine II a dressé en 1781, la liste des bienfaits accomplis en vingt ans de règne :

Provinces érigées selon la nouvelle forme.....	29
Villes bâties.....................................	144
Traités conclus	30
Victoires remportées	78
Édits mémorables	88
Édits pour soulager le peuple	123
Total	*492*

Malgré l'extravagance vantarde du décompte, les historiens le valident : à sa mort, Catherine laisse un pays modernisé, une armée puissante, une bonne instruction publique. L'Académie russe est présidée par une femme, la presse est encouragée, la censure se réduit aux «remarques d'une illettrée» – Catherine appelle ainsi les critiques qu'elle adresse parfois aux auteurs...

La deuxième affiche reprend la chronologie du règne :

1729 – Naissance à Stettin (Poméranie) de la princesse Sophie Augusta Frédérique d'Anhalt-Zerbst.

1744 – L'impératrice Élisabeth la fait venir en Russie où, convertie à l'orthodoxie et rebaptisée, la princesse épousera le futur Pierre III.

1745-1753 – L'époux se montre peu enclin aux rapports charnels. Catherine en profite pour s'instruire, observer les rouages du pouvoir... Et nouer ses premières liaisons amoureuses. Pierre est opéré de sa malformation génitale.

1754 – Naissance d'un fils, futur Paul Ier.

1761 – Mort de l'impératrice Élisabeth. Bref règne de Pierre III.

1762 – Coup d'État. Pierre III est renversé, puis tué par les fidèles de Catherine. Elle monte sur le trône.

1763 – Début des réformes. Pèlerinages sur les hauts lieux de la spiritualité orthodoxe. Son but : innover, comme Pierre le Grand, tout en montrant sa fidélité aux traditions russes.

1764 – Un voyage dans les provinces baltes.

1766 – La Grande Commission élabore les bases législatives de l'État ; même les paysans ont leurs délégués.

1767 – Rédaction de l'*Instruction*, le credo politique de Catherine.

1768-1774 – Première guerre russo-turque.

1772 – Premier partage de la Pologne.

1773-1775 – Soulèvement dirigé par Pougatchev qui se fait passer pour Pierre III, miraculeusement sauvé.

1775 – Réforme territoriale de la Russie.

1779 – Liberté d'entreprise en Russie.

1784 – Annexion de la Crimée à l'Empire russe.

1787-1791 – Deuxième guerre russo-turque.

1793 – Deuxième partage de la Pologne.

1795 – Fin de l'indépendance polonaise (troisième partage).

1796 – Mort de Catherine II (le 6 novembre).

Ce canevas a, pour Oleg, un sens intime. Des matinées de printemps, l'an dernier, le corps de Lessia serré contre le sien en un beau contour d'abandon. Le soleil éclairait cette affiche et, enlacés, ils s'amusaient à se faire passer des examens d'histoire. « La date du sacre de Catherine II ? » demandait Lessia en fronçant les sourcils. Et lui, jouant au cancre : « Je ne sais pas, moi. Ça doit être vers 1812... » Elle lui tirait les oreilles, leur bagarre se transformait en étreinte...

Son scénario paraissait alors d'une légèreté rieuse, amoureusement piquante. Une ambiance à la Fragonard, une fin de siècle qui cultivait l'art de ne rien prendre au sérieux, sauf la bagatelle et le superflu. Une vie frivole, courtisane, un peu rococo, un peu Parny, un peu «après nous, le déluge!». Une existence délicieusement théâtrale...

«Une question de repêchage! Catherine a écrit combien de pièces de théâtre?» Une demi-douzaine, au moins, ses favoris y jouaient, Diderot les applaudissait...

Au début, Oleg imaginait son film comme une suite d'aventures galantes entrecoupées de conspirations d'opérette.

La troisième affiche retrace ce pointillé politico-érotique. La liste des amants et la durée de leur «faveur»:

Saltykov (1752-1754)
Poniatowski (1756-1758)
Les frères Orlov, Grigori et Alexeï (1761-1772)
Vassiltchikov (1772-1774)
Potemkine (1774-1776)
Zavadovski (1776-1777)
Zoritch (1777-1778)
Korsakov (1778-1779)
Lanskoï (1780-1784)
Ermolov (1785-1786)

Mamonov (1786-1789)
Les frères Zoubov, Platon et Valérian (1789-1796)

En bas de la liste sont regroupées des liaisons moins durables: Vyssotski, Bezborodko, Khvostov, Kazarinov…

Lessia, étonnée: «Elle a avoué cinq amants? Et Potemkine, en 1774, lui en reprochait déjà une quinzaine. Il a bien anticipé. Tous ces hommes qu'elle a aimés depuis!»

Cette remarque a été le premier ton discordant dans la légèreté du scénario. Oleg a lancé un sifflement, pour effacer la soudaine impression de gravité: «Mais non, elle ne les a pas aimés! Il lui fallait un homme dans son lit, c'est tout. D'ailleurs, ses favoris ne se faisaient pas d'illusions. "Je n'ai été qu'une fille entretenue." C'est Vassiltchikov qui le disait, son amant numéro 4. Les plaisirs de la tsarine coûtaient cher au budget de l'État! Regarde ces chiffres…»

La quatrième affiche indique le montant des récompenses. Les yeux écarquillés de Lessia: «Vassiltchikov a reçu six cent mille roubles! Et Mamonov, c'est celui qui a quitté Catherine pour une jeune maîtresse? Neuf cent mille! Les frères Orlov, dix-sept millions… Tu as mis un zéro de trop, non? Potemkine, cinquante millions!

– À l'époque, avec quelques roubles, tu pouvais te nourrir pendant un mois, a expliqué Oleg. Catherine s'achetait du plaisir et ne se cassait pas la tête avec des questions de morale. En fin de compte, ils étaient moins psychorigides que nous et n'avaient pas peur de vivre. Ni de mourir, d'ailleurs. Attends, je vais te lire l'épitaphe qu'elle a composée: *Ci-gît Catherine II née à Stettin le 21 avril 1729. Elle vint en Russie en 1744 pour épouser Pierre III. Âgée de quatorze ans, elle eut cette triple intention – plaire à son mari, à l'impératrice Élisabeth et au peuple. Elle ne négligea rien pour y réussir. En dix-huit ans de solitude, elle n'eut d'autre choix que de lire beaucoup. Montée sur le trône, elle chercha le bien de ses sujets et s'efforça de leur donner bonheur, liberté et richesse. Prompte à pardonner, elle n'avait de haine pour personne. Miséricordieuse, sociable, d'un naturel enjoué, dotée d'une âme républicaine et d'un cœur généreux, elle ne manquait pas d'amis. Le travail ne la lassait jamais, elle aimait les arts et la compagnie des gens.*

– Plein de femmes pourraient se reconnaître dans ce portrait, a murmuré Lessia. Même moi… »

Il traverse l'appartement, se rappelant l'insouciance de leurs «examens d'histoire» et aussi leurs «montées au front», comme ils disaient: les moments où Lessia devait aller à la salle de bains. Elle craignait de croiser un colocataire indélicat ou, se trompant de porte, de réveiller un dormeur. Il l'accompagnait, lui épargnant des rencontres gênantes. Parfois, ils procédaient à l'«arrêt d'un réacteur atomique». En cachette, ils enlevaient du fourneau l'une des casseroles où bouillait un pot-au-feu éternel et casaient leur cafetière. Si la propriétaire de la casserole surgissait dans le couloir, il fallait vite remettre son récipient sur le feu, jouer les naïfs qui attendent de pouvoir se faire un café...

Oleg répète le geste, poussant de côté une volumineuse bouilloire. Et pour la millième fois, il cherche à comprendre comment la sautillante frivolité de son scénario a pu faire naître ce palais peuplé de tsars assassinés, de favoris sanguinaires, de fous, de traîtres, de femmes sadiques... Bon, il a énormément lu depuis et tout un souterrain s'est creusé sous la chronologie des affiches. «Pierre III est renversé, puis tué par les fidèles de Catherine...», traçait le feutre rouge. Un tsar détesté par le peuple, un pantin plus allemand que russe, se fait trucider par des officiers épris de Catherine. Une scène entre cocasserie et pitié : un coup d'épée et le pantin s'affaisse comme un ballot de chiffons...

Non, tout s'est passé autrement. Pierre a le temps de comprendre qu'on va le tuer. Invité à dîner au milieu de ceux qui l'assassineront, le tsar garde un peu d'espoir, et puis l'un des officiers l'injurie, le gifle. Pierre ne répond pas, conscient qu'on cherche un prétexte... Il est sans défense devant ces hommes vigoureux, échauffés par le vin. Un moment d'embarras, une brève hésitation chez les tueurs... Et c'est la curée : le tsar est renversé, on le frappe, on lui broie la gorge. Il a encore la force de se traîner à quatre pattes vers la sortie. Cela ne fait qu'aviver l'appétit des brutes. On l'achève, transformant son visage en bouillie… Avant les obsèques, un peintre restaure cette face en lambeaux. C'est le même artiste qui avait fait un portrait du jeune couple : Catherine et Pierre, se donnant tendrement la main…

« Pardon, je vous ai piqué la place ! » Oleg enlève sa cafetière, remet la bouilloire sur le feu. Zoïa proteste doucement : « Mais non, je ne suis pas pressée… » Elle s'assied face à la fenêtre, se fait absente, semble espérer l'apparition de quelqu'un derrière la vitre. Mais derrière, il y a juste une courette surplombée de murs, un arbre nu blanchi de givre…

Une idée farfelue : parler de Catherine II à Zoïa ! Oui, lui dire sans préambule : « Cela vous est déjà sans doute arrivé : une personne vous intéresse, vous creusez dans son passé… Et tout à coup, vous comprenez que sa vérité n'est pas à l'intérieur mais… à l'écart de sa vie… »

Il retourne dans sa chambre, répétant mentalement ces paroles. Confesser ses tourments à cette pauvre Zoïa ? Il est en train de perdre la boule ! Lessia avait raison, il fallait concocter un bon petit film historique : Pierre III falot, son épouse régicide et nymphomane, des discours humanistes pour plaire à Voltaire. Et puis, paf ! un soulèvement paysan, une forêt de gibets et au lieu d'une jeune tsarine éclairée – une grosse Allemande assise sur le trône russe et sélectionnant de beaux athlètes pour son plaisir.

L'œil fixé sur les affiches, Oleg boit son café. Poniatowski, Orlov, Potemkine… Le miroir se lève, s'abaisse.
Des jeunes corps que l'alcôve attire, consomme, rejette…

Il sait ce qui manque à ces inscriptions au feutre
rouge. Une mention, en petits caractères, entre alcôves,
guerres, meurtres, fortunes… Quelques mots sur ces
milliers d'Allemands que Catherine II a entraînés dans
l'infini russe. Non pas des princes et des magnats, mais
des gens modestes, artisans, soldats, agriculteurs. Hans
Erdmann, ancêtre d'Oleg, était l'un d'eux. Un tailleur de
pierre, originaire de Magdebourg. Et du côté maternel,
ces colons venaient de Kassel. Un des aïeux fabriquait
des boîtes à musique, des longues-vues, des faces-à-
main. Et des lanternes magiques…

Au lieu de porter la charge sur son épaule, Oleg a trouvé une autre prise : il place le poids sur son dos et avance courbé, ce qui lui évite de serrer la chair morte contre sa joue.

Depuis six mois, aux abattoirs de Leningrad, il a l'impression de traîner un être tué et non pas une carcasse d'animal. Le reste est désormais routine : l'air épaissi de sang, le toucher flasque de la viande, le flegme des ouvriers qui abattent, évident, équarrissent... De service une nuit sur trois, il gagne son minimum vital et du temps pour écrire.

La besogne est harassante et sale mais, à un degré de fatigue, ses muscles s'exécutent machinalement, offrant à sa pensée une clarté reposante. De jour, il se dit cent fois : « Lessia n'est plus la même », analysant avec minutie tout ce qui a changé dans leur relation. Pendant les nuits aux abattoirs, ces analyses le font sourire.

Il y a un an sortait son premier court-métrage… La critique a été d'une violence disproportionnée face à un modeste film de trente-cinq minutes. «Vision esthétisante et fausse de la Grande Guerre patriotique», «position idéologique douteuse»… Bassov, le professeur qui avait dirigé son travail, a failli être exclu du Parti. Oleg se préparait au calvaire d'un réalisateur interdit de caméra. Soudain, ce coup de théâtre: son film, lui a-t-on fait savoir, venait d'être visionné à Moscou, au ministère de la Défense, le ministre lui-même l'appréciait, mais surtout d'autres membres du Politburo partageaient cet avis!

Le court-métrage avait pour titre *Retour dans un rêve*. En 1941, un jeune architecte part à la guerre et, pendant cinq ans, ne voit que des villes dévastées, rasées par les bombes. En Russie, en Pologne, en Allemagne. Les sites dont il a jadis étudié l'architecture exhibent des colonnes effondrées, des dômes fendus… À son retour, il trouve sa ville natale, sur la Volga, entièrement détruite. Sous les gravats de sa maison – ce classeur rempli de dessins: arcades aériennes, enfilades ouvertes sur le ciel…

Les «défenseurs» d'Oleg, au ministère de la Défense, avaient dû être émus de voir, dans son film, un jeune soldat égaré au milieu des décombres. Comme eux-mêmes, quarante ans auparavant…

La réaction de ces vieux dirigeants, tout en sauvant Oleg, lui a fait sentir à quel point le gouvernement du pays était d'un autre âge.

Contre toute attente donc, il a acquis ce statut singulier: après un séjour parmi les artistes maudits, il s'est retrouvé auréolé de la protection du Kremlin! Bassov, son professeur, exultait: «Ton film a réveillé ces comateux du Politburo! Un peu de tes lauriers sur ma tête chauve. Mais c'est maintenant que les choses sérieuses vont commencer. Pour ton nouveau projet, ne te trompe pas d'histoire...»

Bassov a employé le mot «histoire» au sens de «sujet», «scénario». Oleg, lui, pensait déjà à l'histoire d'une petite princesse allemande devenue impératrice russe.

Il a rencontré Lessia durant ces folles journées d'angoisse et de triomphe. Dans son petit monde de jeunes cinéastes, elle occupait une place de choix: son père travaillait à l'ambassade soviétique en Suède, elle-même s'était fait un nom dans une revue de cinéma. Leur amour a sans doute été marqué par le succès inattendu du film d'Oleg mais aussi par la lumière d'un printemps précoce et, quelques mois après, les festivités des jeux Olympiques de Moscou...

Sa mémoire a fixé ce reflet: juillet 1980, étourdis de soleil et d'amour, ils restent allongés dans sa chambre, écoutant vaguement les bribes d'un téléviseur qui, chez un voisin, débite les résultats des compétitions.

Un vent chaud, les bruits et les senteurs d'une grande ville nocturne. Et au-dessus du lit, l'affiche relatant la vie de Catherine II. «Tu feras un film superbe!» murmure Lessia et il se sent un athlète encouragé par une femme aimée.

«Erdmann, va prendre les trois dernières, on a encore de la place dans le camion...»

La voix du chef d'équipe tire Oleg de sa rêverie, le pousse vers les étals où sont empilées les carcasses. La chair cède à la pression avec l'élasticité d'une vie toute récente...

La simplicité avec laquelle un être est anéanti ne cesse de le surprendre. Un jeune animal respirait la fraîcheur de l'air, un coup de merlin lui a défoncé le front et, à présent, il y a cette viande destinée à la voracité d'une grande ville. Oleg se courbe, charge la carcasse, marche, la décharge. Soulève, transporte, dépose. Peu à peu vient cet état de torpeur où sa pensée se décante, dans un monde simple, nu, brut...

Son court-métrage lui a offert le choix entre deux enviables identités: cinéaste rebelle ou bien, après son succès inespéré, artiste protégé par le régime. Or il a négligé l'aubaine, par stupidité, disaient certains, par la veulerie d'un provincial, ajoutait Ziamtsev, le chef de la petite bande d'amis que fréquentait Lessia. Le verdict est tombé: Erdmann, ce paysan de Sibérie, assez naïf pour croire qu'on repasserait les plats. Celui que Lessia aimait était un Oleg Erdmann riche de ses deux destins. Les refusant, il devenait un autre.

«Erdmann, encore une pour la 2!»

Il acquiesce à travers son oubli, empoigne une carcasse, la porte vers la sortie numéro 2. Là, il ploie ses genoux, comme un haltérophile sous son agrès, et avec un brusque redressement de tout son corps, hisse le fardeau sur un amas de chair.

Cet endroit est éloigné de la salle où le vivant devient viande. Par-dessus l'enceinte, on voit des façades nocturnes. Les gens dorment, mènent des discussions tardives, ou bien font l'amour. Sans penser à la mort qui remplit les camions…

Oleg essaie toujours de prolonger ce répit à la sortie 2. Ici, il se sent libéré de toute identité: il n'est plus le porteur de carcasses, ni le jeune cinéaste animé d'un projet fou… Ni surtout ce mutant russo-allemand, un «Allemand de la région de la Volga», selon l'appellation officielle.

C'est cette imprécision qui a dû déplaire à Lessia. À force d'écrire sur Catherine, Oleg s'identifiait de plus en plus aux fantômes vieux de deux siècles. À ce prince infantile, futur Pierre III, qui alignait des petits soldats sur le parquet d'un salon. Une nuit, ces figurines sculptées dans l'amidon attisèrent la gloutonnerie d'un rat. Un caporal se laissa dévorer. Pierre convoqua un conseil de guerre, construisit un petit gibet et le rat fut jugé et pendu…

Au début, Oleg ne pouvait que rire de ces enfantillages. Puis, il a cru y déceler une logique moins absurde qu'elle ne paraissait. Et c'est alors qu'une brouille a gâché le bonheur qu'il vivait avec Lessia.

«Tu passeras ta vie à autopsier les rats! a-t-elle crié. Un grand débat philosophique: pourquoi Pierre III a pendu un rat? Dans ton synopsis, tout était clair, rappelle-toi! Un crétin que Catherine épouse faute de mieux et dont elle se débarrasse, à la première occasion. D'accord, il adorait ses petits soldats, mettait ses chiens dans le lit conjugal, se soûlait avec ses valets à qui il apprenait à marteler le pas à la prussienne. Quoi encore? Ah oui! Il ne pouvait pas copuler à cause de son prépuce! Tu vas nous pondre maintenant un traité de circoncision, c'est ça?»

Oleg se souvient d'avoir tenté une justification inutile: Pierre III n'était pas du tout l'idiot dont parlent les historiens. Plutôt un inadapté, un faible, un songe-creux. Et le monde punit toujours la faiblesse des rêveurs.

Lessia a éclaté de rire: «C'est ça, ce mollasson était un Hamlet! Vas-y, continue à délirer… Moi, ces histoires de rats et de prépuces, j'en ai ras le bol!»

Elle est partie, le laissant hagard, au milieu de ses brouillons…

Ils allaient se retrouver le lendemain soir. Toujours ce cercle de jeunes artistes, beaucoup de gaîté et d'alcool, des danses tantôt lascives tantôt déchaînées. Et, autour de lui, un chuintement moqueur : « le paysan de Sibérie »... Dans la bousculade, un bras l'a frôlé au visage, faisant tomber ses lunettes. Il s'est accroupi, s'est mis à tâter le parquet au milieu du va-et-vient des pieds. Sa vision vague, par en dessous, a discerné Lessia – au rythme fou de la musique, un homme la repoussait, puis l'attirait vers lui, ils riaient... On ne tarderait pas à le trouver à quatre pattes, regard flou, mains fébriles ! Soudain, il a pensé à Pierre : le tsar est tombé, les lourdes bottes des tueurs dansotent avant de frapper, il rampe, entouré de hurlements, d'haleines âcres...

Ses lunettes, un verre en moins, traînaient sous un fauteuil. Il les a remises et s'est dirigé vers la sortie, défiant les coups d'œil qui l'accompagnaient. Le visage de Lessia est apparu, mélange de flottement myope et de netteté tranchante.

« Erdmann, ne bouffe pas du cochon cru ! Tu n'es plus en Sibérie... »

Oleg met du temps à reprendre pied dans la réalité. Celui qui l'interpelle est Ivan Jourbine, le jeune comédien qui lui a dit, un jour : « Tu feras une série télévisée de trois cents épisodes et demi ! » Oui, l'increvable Jourbine... Ce qui les unit, c'est leur statut de provinciaux. Et aussi leur pauvreté : Ivan lui a appris à réparer ses chaussures avec le cuir d'une vieille valise. Et c'est grâce à lui qu'Oleg a décroché ce travail aux abattoirs.

Le ciel est encore sombre, sept heures du matin et après une nuit sans sommeil l'idée paraît saugrenue : cet ami aux cheveux roux et au sourire un peu enfantin va reprendre la même besogne de porteur de chair morte... On entend déjà l'appel du chef d'équipe : « Jourbine, fichu tire-au-flanc, viens charger ! Sinon, je t'enlève deux heures... »

Oleg s'en va. Un trottoir englacé, le terminus d'un tramway et, malgré la somnolence, cette lucidité d'halluciné : bercé par le tangage du wagon, il revoit la vie de Catherine avec l'intimité d'un souvenir personnel. Oui, les lunettes qu'il a laissées tomber, ses tâtonnements au milieu des pieds des danseurs – le désarroi rappelant la reptation de Pierre III que les officiers de Catherine s'apprêtent à tuer...

Au passage du tramway, une branche perd un peu de neige. Il a le temps d'apercevoir un bref tourbillon irisé. Et il devine cette vision chez la petite princesse allemande de dix ans qui tient la main d'un jeune prince, à peine plus âgé. Les enfants regardent les gros flocons tomber au-dessus de la mer, à Kiel où ils se voient pour la première fois, en 1739. Vingt-trois ans plus tard, ce garçon, devenu empereur russe, est battu à mort par les amants de son épouse, la petite fille qui lui serrait la main sous un lent volettement blanc.

Le meurtre de Pierre condense tout le règne de Catherine. La violence, la ruse, le pouvoir du sexe et le désir de dominer, le cynisme. Et surtout du théâtre! Montées à cheval, déguisées en officiers de la garde, Catherine et sa jeune amie la princesse Dachkova caracolent devant la troupe qu'il faut séduire – du pur cape et épée!

Ce coup d'État aurait-il pu tourner autrement? Pierre III rassemble ses régiments d'Holsteinois fidèles, rappelle qu'il est le petit-fils de Pierre le Grand, écrase les comploteurs... Mais non! Il fuit, abdique, implore la grâce de la tsarine et se laisse, enfin, massacrer par ses amants.

Déjà dans l'ébauche de son scénario Oleg avait noté ce jeu de la domination et de la chair. En 1762, l'assassinat de Pierre III. En 1775, l'exécution de Pougatchev, faux Pierre III. La Pologne, violée en 1772 et 1793, anéantie en 1795... Chaque fois, le même «mode opératoire»:

Catherine alimente la fougue de ses hommes avec un cocktail de sexe et de violence.

Ce schéma avait l'avantage d'être clair. En revanche, l'érudition qu'il recherchait dans les dédales de l'Histoire rendait la vie de Catherine opaque, incertaine.

«Tu veux trop bien faire!» soupirait Lessia et, dans un sens, elle avait raison. Oleg se rappela, un jour, le dicton allemand que citait son père: «*Zu gut – schlecht.*» C'est ça, trop bien, c'est mauvais. Lui, il espérait qu'au-delà du fouillis des archives, une lumière allait jaillir – une vérité palpitante, dépassant l'Histoire elle-même!

En attendant, le mystère s'épaississait. Catherine a-t-elle donné l'ordre de tuer? Ou bien ses favoris ont-ils déchiffré sa volonté inavouée? Et qui croire? Les historiens qui la prétendent effondrée à la nouvelle du meurtre ou ceux qui la décrivent réjouie? Et comment juger le ton de son manifeste? *Le septième jour de notre accession au trône, nous fûmes avisée que l'ancien tsar Pierre III était repris de ses crises hémorroïdales... Soucieuse de notre devoir de Chrétienne, nous ordonnâmes de lui fournir les soins médicaux. Mais, à notre grande tristesse, nous apprîmes que la volonté de Dieu avait mis un terme à sa vie...* Avait-elle besoin de ce persiflage posthume, du rapprochement obscène entre la «crise hémorroïdale» et l'excitation des hommes qui s'acharnaient sur Pierre à moitié nu?

Dans l'écrasement de la jacquerie de 1774, ce même mélange de violence charnelle et de farce mondaine. Le faux tsar Pougatchev est capturé par ses propres aides de camp : un corps dénudé, une marchandise sanguinolente qu'ils livrent à la tsarine en s'épargnant la potence.

Et Poniatowski ? L'amant qui a trahi Catherine... Le châtiment est impérial : la tsarine fait de lui le roi de Pologne puis anéantit son royaume. Symboliquement, elle viole le fier Polonais ! Ils se revoient une seule fois en trente ans – en Crimée. Un bref entretien, juste pour lui montrer le bonheur dont elle jouit à la tête d'une armée victorieuse, dans les bras d'un jeune favori. Le Polonais rejoint le bataillon des vaincus : les amants répudiés, les rebelles décapités et ce sultan de Crimée devenu un vassal impotent. Catherine projette de nouvelles prédations : Constantinople, l'Iran et, pourquoi pas, l'Inde ?

À quel moment cette machinerie politique et charnelle s'enraye-t-elle ? En juillet 1789 ? Catherine a l'habitude de congédier ses favoris. Le beau Mamonov rompt le premier. La tsarine a soixante ans, sa rivale en a vingt et même le grand illusionniste Potemkine n'y peut rien ! Il mourra en 1791, Catherine perdra en lui son *alter ego*, son âme damnée, l'incarnation de la Russie telle qu'elle l'aime et la redoute. « Je suis plus qu'un empereur, dit-il. Je suis Potemkine ! » C'est lui qui choisissait pour elle de nouveaux amants. Sauf le dernier, Zoubov, un gigolo prétentieux dont l'insignifiance attestera le déclin du règne. La belle mécanique alliant le sexe et le trône en est à ses derniers tours poussifs.

« C'est foudroyant de clarté ! disait Lessia. Une tsarine qui serre, en guise de sceptre, un sexe d'homme. Les caricaturistes polonais la dessinaient ainsi, n'est-ce pas ? Seulement, fais attention, ne t'embrouille pas dans les nuances ! »

Critique de cinéma, elle devinait le danger : les détails finissent par mosaïquer les physionomies des héros... Excellent conseil. Mais Oleg, lui, éprouvait la fièvre d'un peintre qui voudrait ajouter une toute dernière touche à un portrait terminé. Oui, cette touche-là : Pierre III joue du violon ! Infantile et grossier, selon les historiens, il était un bon musicien dont le talent fut sacrifié au tintamarre militaire. Était-il un ivrogne violent, comme Catherine le racontait dans ses *Mémoires* ? Détrôné, Pierre ressemble plutôt à un adolescent égaré. À bord d'une chaloupe, entouré des dames d'honneur de sa cour éparpillée, il cherche à rejoindre la forteresse de Cronstadt. Refoulé par la garnison, il reprend la mer – dans la panique, on coupe la chaîne de l'ancre (joli détail pour le film !). Et il se retire du jeu politique : « comme un enfant qu'on envoie dormir », dira un général. Autour de lui, jouent les adultes. Ils soudoient la garde impériale, occupent le palais d'Hiver, intronisent la tsarine. Et

encore un détail : juste avant ce coup de force, Catherine met au monde un fils. Le futur comte Bobrinski.
Il faut cacher l'accouchement à Pierre. Sachant que le
tsar adore regarder les incendies, un valet de Catherine brûle son isba, entraînant vers le spectacle Pierre
et ses courtisans…

«Évite d'énumérer tous ces comparses, conseillait
Lessia, déjà un peu inquiète. Derrière eux, on ne verra
plus l'intrigue !» Mais dans la grisante multiplicité de
l'Histoire, chaque fragment semblait important. Un
homme chevauche pour avertir le tsar du coup d'État :
un certain Bressan, sujet monégasque, le seul à lui
rester fidèle…

«À quoi bon introduire celui-là ?» s'étonna Lessia.
Oleg se hâta de justifier la présence de cette âme cheva-
leresque. Et aussi de ce martyr : Ivan VI qui, tout jeune
enfant, avait régné en 1740, avant d'être emprisonné par
Élisabeth. Vingt-deux ans plus tard, Catherine hérite
de ce captif. En 1764, pendant qu'elle voyage dans
les provinces baltes, un officier tente de le libérer. Au
premier coup de feu, les geôliers égorgent Ivan. Selon
les instructions de la tsarine…

Lessia l'écoutait, encore souriante : «Ton copain
Jourbine avait raison, tu finiras par écrire une série
télévisée…»

Ces mises en garde devenaient inutiles. Oleg s'éga-
rait de plus en plus dans les méandres du passé dont

les secrets tissaient désormais l'étoffe même de sa vie. Le jeu du pouvoir et du sexe ? Et quand un favori est répudié, quel autre jeu s'engage ? Chassé, Grigori Orlov prépare une revanche : c'est lui qui attisera la jacquerie de Pougatchev. Pendant ce temps-là, en Italie, une certaine princesse Tarakanova se déclare fille de la feue impératrice Élisabeth et donc la vraie héritière. Catherine lutte sur les deux fronts : ses armées contre les émeutiers, ses espions contre l'intrigante. Pougatchev est exécuté à Moscou. Tarakanova est entraînée sur un bateau russe, à Livourne. Alexeï Orlov, le frère de Grigori, joue les amoureux, lui promet le trône russe. Capturée, elle meurt à Saint-Pétersbourg…

Dans son emballement, Oleg se sentait vraiment capable d'écrire trois cents épisodes !

Au plus fort du coup d'État, Catherine croise un jeune officier : tous deux sont à cheval, la tsarine a perdu la dragonne de son épée et cet inconnu – c'est Potemkine – lui offre la sienne… Ou mieux ! Pierre III adore la crème glacée et c'est en lui promettant ce dessert que ses assassins l'entraînent dans le guet-apens ! Pendant qu'à Saint-Pétersbourg on ourdit le coup d'État – à Paris on brûle *Émile* de Rousseau ! En 1775, Pougatchev doit être écartelé puis décapité. Catherine ordonne d'inverser le procédé, par charité, pense-t-on. En fait, elle veut se montrer plus humaine que Louis XV : Damiens, qui avait poignardé le roi, a été sauvagement dépecé…

Et aussi cette concomitance-là : juillet 1789, la Bastille tombe et la tsarine sanglote car son amant Mamonov l'a plaquée !

« Va tourner ton film en Inde ! s'exclamait Lessia. Là-bas, ils supporteront ce *Mahabharata*…» Elle ne retenait plus ses moqueries.

Le scénario faisait surgir Voltaire, Diderot, Rousseau, d'Alembert (qui correspondaient avec Catherine et ses courtisans), Frédéric II, Marie-Thérèse, Joseph II (alliés militaires de la tsarine), Louis XV et madame de Pompadour (Catherine les détestait), Louis XVI et Marie-Antoinette (elle les trouvait adorables), le sultan et son harem (un agent de Catherine parvint à y pénétrer), les frères Casanova, Cagliostro et Saint-Germain, Ormesson et Ségur…

Un jour, dans les paroles de Lessia, Oleg devina la condescendance qu'on a pour un enfant.

« Je me demande en quoi ton scénario sera si différent de ces bouquins que tu as lus sur Catherine…»

Il protesta vaguement, puis se tut. Son script reprenait, en effet, tous les poncifs : une tsarine éclairée mais despotique, féministe avant l'heure et nymphomane, amie des philosophes et ennemie des fruits révolutionnaires de leurs idées…

« Au mieux, tu filmeras ce qui a été dit et redit mille fois. Oui, dans tous ces romans historiques », ajouta Lessia avec un bâillement.

Depuis un moment déjà, leurs relations avaient changé. «L'été de nos amours – un rayon de couchant qui s'éteint sur les visages des statues du palais d'Hiver», se disait Oleg (et même cette image venait d'un roman sur Catherine II!). Il chercha une raison à ce déclin : son travail aux abattoirs, le poste de chef de service que Lessia occupait désormais dans sa revue… Oui, ils avaient moins de temps libre qu'avant. Mais surtout, Lessia avait espéré le voir jouer l'un de ces deux beaux rôles – un cinéaste contestataire ou bien un réalisateur pistonné par le régime. Or il voulait juste rester lui-même.

Ils s'étaient aimés sans se faire de promesses, «un amour moderne», pensait-il avec aigreur. Pendant les nuits aux abattoirs, il imaginait son amie danser dans les bras de quelqu'un. Ou dormir dans les bras de quelqu'un?

Le nom d'un réalisateur, Valentin Ziamtsev, revenait souvent dans les récits de Lessia. Un moyen, pour elle, de préparer Oleg à une rupture. Ziamtsev avait l'assurance de ces grands mâles bruns qui, magnanimes, se laissent aimer. C'était lui qui avait lancé le sobriquet de «paysan de Sibérie»…

Oleg avait transporté des centaines de carcasses en pensant à cette nouvelle situation : lui et Lessia, la banale injustice des préférences charnelles, un visage qui plaît plus qu'un autre, Ziamtsev et lui, un vainqueur et un vaincu…

Un soir de novembre, doux et brumeux, Lessia vint le voir, comme autrefois. Un écho tardif de leur tendresse… Il alla préparer le café et, pendant que l'eau se mettait à bouillir, regarda son amie qui lisait sur le canapé, dans la petite chambre au fond du couloir… Ils passèrent la nuit à s'aimer, à parler longuement. Sur le mur, les affiches déployaient la chronologie du règne, la liste des favoris… Ils se rappelaient leurs «examens d'histoire», souriaient mais n'osaient pas répéter le jeu.

«Ce qui serait intéressant à filmer, murmura Lessia, c'est ce que Catherine n'était pas…»

Il fut frappé par cette formule.

«Tu veux dire, imaginer ce qu'elle aurait pu vivre si…

— Non. Ce qu'elle a véritablement vécu. Un soir, comme à présent, cette brume, la dernière douceur d'avant l'hiver… Il devait y avoir dans sa vie des instants qui la rendaient à elle-même. Elle n'était pas qu'une machine à signer des décrets, à écrire à Voltaire, à consommer ses amants…»

Oleg ne répondit pas. Ils venaient de toucher à la vérité d'un être, de cette Catherine dont, depuis des mois, il ne réussissait à saisir que les mouvants contours. Il crut même que s'ils avaient trouvé les mots pour le dire, alors leur vie – cet amour finissant – aurait pu renaître, fabuleusement autre.

Les mots ne furent pas trouvés, la vie reprit son cours. Lessia venait rarement, ne restait pas et ses commentaires du scénario servaient juste à combler le vide de leurs conversations… Rien de plus lointain qu'une femme qui s'installe dans un nouvel amour. Une extraterrestre, un doux monstre distrait dont le visage, proche et déjà méconnaissable, provoque une attirance exacerbée, torturante et vaine.

La rudesse du travail, aux abattoirs, clarifiait les choses : Ziamtsev, l'ami de Lessia, pouvait plaire davantage qu'un provincial sans le sou, sans logement digne de ce nom et, de surcroît, noyé dans un projet fou.

Un jour, ravalant sa honte, Oleg se fit inviter chez ceux qui formaient le petit monde artistique de Lessia. On fêtait un scénario qui venait d'être approuvé par le CEAC – le dictatorial Comité d'État pour l'art cinématographique… Oleg but, força la décontraction, essaya de danser. Dans la foule mixée par la musique, un bras accrocha ses lunettes… Le lendemain, son ami Jourbine lui rapporta le verre manquant, ramassé sous une table. Ouvrant la porte, Oleg vit un faciès déformé : Jourbine avait réussi à se fixer le verre à l'œil gauche, à la manière d'un monocle. « *La donna e mobile*… », entonna-t-il. Son intention était louable – dérider un ami, lui faire prendre la situation à la légère. Sa voix se coupa tant fut visible la douleur qui chiffonnait le visage d'Oleg.

Bon comédien, Jourbine trouva le ton qu'il fallait : « C'est maintenant que tu feras un truc très, très fort ! Car désormais tu as la hargne ! »

Voix prophétique, regard en feu. Oleg sourit : petit, roux, grimaçant, Jourbine ressemblait à l'un de ces fous du roi – fous du tsar – très prisés à la cour de Saint-Pétersbourg.

La « hargne » ne fit qu'aiguiser un peu plus sa vision : l'Histoire régie par la soif de domination et le sexe.

Les exemples, dans la vie de Catherine, ne manquaient pas. La voilà qui passe, sourire vague, œil perçant, entre deux rangées de beaux officiers. Une heure plus tard, l'un de ces étalons est envoyé par Potemkine auprès d'elle avec un semblant de commission. L'élu se plie aux examens du docteur Rogerson (état de santé) et de la comtesse Bruce (performances sexuelles). À la suite de quoi, il est installé au palais, couvert de titres, de grades, de richesses.

Le favoritisme comme institution, le sexe comme forme de gouvernement, l'orgasme comme facteur de la vie politique. Oui, cette alcôve qui permet à Catherine de conduire la marche de l'État sans interrompre ses ébats amoureux.

Un raccourci rapide, mais historiquement vrai. Toute jeune, Catherine éprouve des accès de sensualité dont elle parlera dans ses *Mémoires* : un coussin serré entre les cuisses, la petite princesse s'agite avec frénésie, le visage empourpré, la prunelle révulsée. À l'âge de treize ans, un coup de foudre la jette dans les bras d'un oncle et seule l'envie d'épouser Pierre pour monter sur le trône russe met fin à cette passion.

Il y avait aussi une scène qui, dans le film, allait produire de l'effet, Oleg en était sûr. Pierre et Catherine à Saint-Pétersbourg, auprès de l'impératrice Élisabeth qui, tantôt bigote tantôt débauchée, s'étourdit de festivités sauvages... Un soir, Pierre, armé d'une vrille, troue plusieurs cloisons entre les pièces du palais. Un œil collé à ces judas, il commente le spectacle. Là, le dîner des gardes. À côté, le travail des couturières. Et là... Il pousse un bafouillage excité : «Comme elle est grosse!» Catherine jette un regard dans le trou et se fige. La lueur d'une bougie, la blancheur lourde d'un corps – une femme qu'un homme écrase. Cela ressemble à un combat, à un meurtre! Élisabeth, chevelure en désordre, halète, lâche des jurons... L'homme se détache d'elle, épuisé. Un autre se jette sur l'impératrice, l'étreint brutalement... Pierre repousse Catherine («Laissez-moi, c'est mon tour!»), elle se met à marcher, en aveugle, avec cette seule pensée en tête : «Plutôt mourir...»

Trente ans plus tard, au crépuscule de son règne, on voit une vieille femme grasse que besognent deux jeunes hommes, deux frères Zoubov. Cette femme est Catherine elle-même…

Entre ces deux épisodes – toute sa vie. Des hommes qui jouent l'intermède du désir, des hommes qui tuent, qui meurent. Potemkine s'amourache d'une servante, Catherine demande à son gendarme en chef de punir la sotte. Le zèle est excessif : la fille est emmurée vivante. Catherine n'aime pas la femme de son fils Paul, une princesse trop indépendante. Et d'une santé fragile – une simple potion la fait mourir. Poison ? Oh, tout de suite des gros mots ! Et puis Mamonov, le traître condamné à assister au viol de sa jeune épouse par des soldats.

Le film imaginé ne s'adressait qu'à deux spectateurs : Lessia et Ziamtsev. Comme tout artiste, Oleg parlait de lui-même. Catherine II ou Jules César, qu'importe si, à travers l'Histoire, il pouvait avouer son amour, montrer l'arrogance des forts, la rareté des attachements fidèles ?

Il lui fut facile de noircir Catherine – sa vie offrait quantité de naphte malodorant : meurtres, viols, stupre, perfidie… Cet exercice de noirceur se serait poursuivi si, un jour, à quelques pas du palais d'Hiver, il n'avait pas croisé Lessia et Ziamtsev. Des amants enlacés… Il se tourna vers une vitrine, imita un passant anonyme…

En rentrant, il se noya dans son scénario. Trônes, guerres, tortures, soldats embrochés sur des baïonnettes, chevaux éventrés par la mitraille et ces jeunes mâles parmi lesquels une femme se choisit un favori…

Il ne connut pas d'illumination. Simplement, de ce fatras de pages se dégagea soudain la compréhension nette de ce qu'il devait écrire. Il se rappela les paroles de son professeur Bassov : « Tu ne vas pas nous faire un dessin animé ? »

Mais si, exactement ! Compresser la farce de l'Histoire, en tirer une série de sketchs, de pantomimes. Un grand miroir se lève, on voit un lit, un amant essoufflé, le miroir s'abaisse et la tsarine, tout échauffée d'amour, signe des traités, reçoit Casanova, Diderot, Potemkine…

En deux semaines, le scénario fut terminé. Et, comme si elle l'avait deviné, Lessia vint chez lui, dans sa petite chambre de l'appartement communautaire. La ressemblance avec leurs soirées d'autrefois était poignante : cette femme aimée assise sur un canapé encombré de livres, la senteur du café…

« Erdmann, tu n'as qu'à aller te pendre. C'est du délire ! » Le verdict tomba, mais Lessia y attachait peu d'importance, sa vie était déjà trop éloignée de cette chambrette.

Le lendemain, la nuit aux abattoirs fut rude : des carcasses de chevaux, en fardeau sanguinolent, et la vue d'une benne où les ouvriers jetaient les viscères. Un magma noir, luisant et qui semblait bouger. « Les hommes, pensa-t-il, se battent pour dominer leurs semblables, s'enrichir, conquérir les femmes les plus belles. La mort vient et de tout ce qu'ils ont convoité ou haï, de tout ce qu'ils ont été, reste cette bouillie... L'idée n'est pas neuve, mais moi j'ai cette benne sous les yeux. Et j'ai Lessia, si vivante en moi...»

Revint alors le souvenir des paroles que son amie disait en novembre, en ce dernier soir de leur amour: «Il faudrait filmer ce que Catherine n'était pas... Une nuit de brume, la fragile douceur qui précède l'hiver...»

Sa décision fut subite: le matin, en quittant les abattoirs, il alla à l'adresse de Ziamtsev. Une nuit sans sommeil, mauvaise conseillère, lui fit imaginer une rencontre survenant avec la facilité des songes: Lessia sort de l'immeuble, il lui parle, elle le comprend...

Elle descendit avec Ziamtsev et ils marchèrent vers Oleg, comme s'ils avaient voulu l'interpeller, le poursuivre. Les cours léningradoises sont connues pour leurs dédales. Tête baissée, il fila, se retenant de courir, tourna à droite, à gauche. Les deux amants le suivaient, implacables, pour le coincer, moquer son attente puérile sous leurs fenêtres... Essoufflé, il s'arrêta enfin, comprit que personne ne le pourchassait, se vit face à une petite décharge sauvage tassée contre un mur en briques. Un peu à l'écart, se dressait une chaise au siège défoncé. Sans réfléchir, il s'assit, se rendant compte que ses genoux tremblaient. Un chat passa, le regarda, incrédule. Oleg émit un rire, sonore de larmes… « Me voilà sur le trône polonais que Catherine a mis dans ses toilettes. Le 4 novembre 1796, on la trouvera au pied de ce symbole profané. Moribonde. Elle a eu un malaise au moment de faire ses besoins. Deux jours plus tard, ce sera l'agonie. La mort, la décomposition. La benne à viscères. Il n'y a rien d'autre dans la vie, chère Lessia. La violence, l'absurdité des désirs, la comédie des amours. Et la benne… »

Il se leva, voyant une femme qui s'approchait du mur, un seau d'ordures à la main.

Chez lui, il trouva une lettre de Bassov, son professeur : « J'ai lu ton scénario. Il faut qu'on en parle… » En post-scriptum, cet acronyme inventé par Bassov – « cancat » : « conversation à ne pas confier au téléphone ». Oleg pensa à la censure, aux écoutes téléphoniques, à tous ces interdits que dénonçaient les amis de Lessia. Il comprenait, désormais, que l'impossibilité de s'exprimer ne tenait pas seulement à cela. Bien plus difficile à dire était une nuit de brume, une allée d'arbres nus en attente de l'hiver, le silence d'une femme qui se sentait tout autre que l'illustre tsarine dont elle portait le nom.

Aller voir Bassov est une expédition : métro, train de banlieue, un bus poussif qui cahote au milieu des massifs forestiers. Enfin, ce lotissement de datchas appartenant aux « représentants de l'intelligentsia créative » – le terme officiel qui fait sourire Oleg. Quid des intellectuels non créatifs ? Pour ces « représentants », il s'agit d'une villégiature estivale. Bassov, lui, y vit toute l'année, faute de logement à Leningrad.

Il y a trois ans, il épousa une jeune comédienne, son étudiante. Seule l'ivresse amoureuse aidait ce sexagénaire à rester aveugle. Une fois copropriétaire des mètres carrés, la dame demanda le divorce et fit venir son ami. Bassov, auteur de films où les héros combattaient virilement le mal, se trouva démuni dans la vie réelle. Il lança des appels à la conscience morale, à la probité ! Avant de comprendre que, pour cette fille, un appartement à Leningrad était la chance de toute une vie. « Elle aurait pu m'empoisonner », disait-il, amusé par ce rôle boulevardier. Après un baroud d'honneur – un prêche sur la splendeur de l'art et la misère des calculs mercantiles – il s'en alla vivre dans sa datcha…

Les gagnants ont été ses élèves. Il leur consacrait plus de temps, animé de cet altruisme fervent dont font preuve les êtres blessés. Son abnégation est allée jusqu'au soutien accordé à un court-métrage idéologiquement suspect : *Retour dans un rêve* d'un certain Oleg Erdmann…

Le professeur le reçoit, cette fois, avec solennité. Une longue poignée de main, un plissement de paupières en signe de connivence. On salue ainsi son confrère gladiateur qui va entrer en lice.

« Quel pavé dans la mare de l'histoire russe ! » Sa main indique un manuscrit posé sur son bureau. « Elle est explosive, ta Grande Catherine… Attends, je vais faire du thé. Prends cette chaise. On te mettra bientôt sur une chaise électrique, tu verras ! »

L'attente anxieuse du jugement et, derrière la vitre, une journée de février, une somnolence neigeuse, la douce indifférence de la nature face à la fièvre des projets humains.

L'année dernière, parlant de Catherine à Bassov, Oleg a reçu ce conseil : « Chasse-la de son trône ! » Devant sa mine perplexe, le professeur a précisé : « Montre en elle la femme. Quand elle faisait l'amour, elle enlevait

70

sa couronne, non ? Cherche dans la rue un regard, un visage, des gestes qui pourraient lui appartenir. Trouve une femme qui serait Catherine à n'importe quelle époque. Une vendeuse de glaces ou une prof de gym… Essaie de tomber amoureux d'une Catherine II moderne…» L'œil aux aguets, l'oreille tendue, Oleg traversait la ville, comparant les passantes avec le portrait-robot de Catherine. D'ailleurs, plus il étudiait la vie de l'impératrice, plus la jeune silhouette frivole se chargeait de traits graves, tragiques. Derrière une princesse caracolant le long de la Neva apparut une femme mûre, à la fois plus puissante et plus fragile. Celles qu'il croisait manifestaient de la ressemblance avec elle – ce battement de cils fatigué chez une guichetière, dans une gare, ce timbre guttural chez une touriste près de l'Ermitage, cette démarche voluptueuse et souple… Tout cela, incarné et troublant de réalité, était Catherine. Bassov avait vu juste : Oleg tomba amoureux d'elle, se mit à la défendre. Sa concupiscence ? Imaginez seulement une jeune fille désireuse d'aimer et qu'on marie à ce pauvre Pierre inapte au moindre acte charnel ! Régicide ? Ce fut un duel plus qu'un meurtre : Pierre comptait se défaire d'elle et couronner sa maîtresse Vorontsova…

Bassov apporte une théière, un pot de confiture, du pain. Ses gestes sont lents, il n'entame la conversation qu'après avoir servi Oleg et bu une longue gorgée.

«Quel tir de saturation, ton scénario, ouf!» grommelle-t-il dans un soufflement. Puis, le regard écarquillé, il lâche: «Cette écriture à la mitraillette, c'est très efficace!»

Il souffle de nouveau et reprend sur un ton un peu bougon:

«Je n'aurais pas misé un rouble sur cette technique! Tu me promettais de ne pas faire du Walt Disney. Et voilà que ça marche! Comme dans ce fragment d'après une caricature polonaise: Catherine boit du sang – des insurgés de Varsovie, je suppose – et mange des sexes masculins, ceux de ses favoris... Et puis cette alcôve! Le miroir descend, hop! l'amant est caché. L'impératrice, mine de rien, reçoit Casanova ou Diderot... En quelques plans, toute la mascarade de l'Histoire! Tiens, Poniatowski: son père est un valet, lui-même devient prince, puis roi de Pologne et, à la fin, le roi de la chaise percée! Et Potemkine? Un potentat richissime et qui meurt dans une steppe nue, à la belle étoile. Un soldat lui ferme les paupières avec des pièces de cuivre... Et Voltaire? La bassesse de ses flatteries! Tu ne dis rien sur la haine que Catherine voue à la Révolution, on voit juste un laquais qui emporte le buste de Voltaire pour le cacher au grenier du palais d'Hiver...»

Calé dans son fauteuil, Bassov joue un Potemkine prostré au milieu d'une steppe, puis le laquais, portant sur son ventre le buste du penseur.

«Le sommet c'est, bien sûr, l'érotisme de Catherine. Une centaine d'amants! Une minute par favori et tu n'as plus le temps de rien filmer d'autre. Heureusement, ton dessin animé va droit au but : la force et le sexe. Et c'est Catherine qui domine tous ces mâles. C'est elle qui les baise!»

Bassov secoue son poing avec un geste qui se veut viril mais, dans la bouche d'un cocu, l'éloge du libertinage féminin sonne faux. Son visage prend un air désabusé.

«Le problème, tu vois… La technique du dessin animé est parfaite quand il s'agit de situations simples. Le comte Orlov chasse l'ours en solitaire, puis avec une énergie semblable besogne la tsarine, et quand le tsar Pierre commence à les gêner, ces tourtereaux le liquident. Tout est clair – des prédateurs massacrent un faible ruminant. Mais… J'ai lu les lettres de Catherine à son correspondant parisien Grimm. Le hic, c'est qu'elle idolâtre ses amants. Avec une naïveté de midinette, elle raconte toujours la même chose : ce Korsakov, ce Mamonov, cet Ermolov, ce… enfin, chacun d'eux est un pur chef-d'œuvre, un esprit supérieur, une intelligence hors pair… Elle y croit. Elle est conquise. Elle aime!»

Ce constat exalté «elle aime!» éveille Oleg. Jusque-là, il s'est laissé bercer par les louanges, douce musique après des mois d'échecs et de moqueries. Enfin, il était compris, apprécié, adoubé par un maître.

«Et ses lettres à Potemkine? reprend Bassov. *Mon*

cœur, ma petite belle âme, le maître de mon souffle…
Minauderies, roucoulements sirupeux, d'accord, ce babil
n'a rien d'original. Mais il y a des actes. Dès que Potemkine tombe malade, Catherine veille sur lui comme si
c'était son fils! Et ça, tes dessins animés ne pourront
jamais le montrer car…»

Oleg sait qu'à présent, à travers la vie de la tsarine,
Bassov parle de lui-même : sa jeune épouse l'a quitté,
au lieu de «veiller sur lui comme sur son fils».

«Catherine avait autant de tendresse pour Orlov.
Cet amant rejeté devient vieux, perd la raison, plonge
dans la solitude et la crasse. Et c'est elle, l'impératrice,
qui vient chez lui pour le nourrir, le soigner. Le laver!
Filmer une salope qui change de mâle tous les jours,
c'est simple, Walt Disney y suffit. Mais essaie donc de
montrer cette Allemande qui retrousse ses manches et
savonne un vieux Russe fou!»

Derrière la fenêtre, un oiseau se pose sur un sorbier
enneigé. Tous deux, ils regardent ce bouvreuil qui, avec
une lenteur sommeillante, se déplace vers une grappe
rouge…

«Ton scénario est en béton armé, conclut Bassov.
Mais, attention, ces limaces, au Comité d'État, savent
trouver une faille par où se glisser. Vu la nouveauté du
projet, ça va chauffer. Surtout que tes protecteurs du
Kremlin t'ont déjà oublié. Le camarade Alzheimer siège
au Politburo…»

Il attrape un carnet, le feuillette…

«Écoute-moi bien… Le CEAC, ce "Comité d'État pour l'art cinématographique", invite toujours un expert extérieur. Dans ton cas, ce sera forcément un historien. J'ai pu avoir son nom : Lourié. C'est lui qui allumera les fagots sous tes pieds. Or, à Leningrad, il y a trois historiens du nom de Lourié. Enfin, aujourd'hui, il n'en reste que deux. Le premier, déclaré trotskiste, a été fusillé en 37. Le deuxième Lourié, lui, est un rare salaud. À la fin des années trente, il a abandonné l'histoire pour se consacrer à l'actualité, plus précisément à la glorification de Staline. *Riposte stalinienne aux traîtres de la culture socialiste* est son opus-phare. À la mort de Staline, ce Lourié 2 a réussi une contorsion à faire pâlir un yogi : le voilà un ardent pourfendeur du stalinisme… Le troisième Lourié est bien plus mystérieux. Dans sa biographie, il y a un blanc entre 1948 et 1956… Ses publications, tu les connais : des articles sur des sujets microscopiques. Il parle du système fiduciaire des assignats sous le règne de Catherine II : très «large public»… Ce Lourié-là m'a l'air d'un cuistre en fonte massive. C'est surtout lui qu'il faudra craindre. Quant au jury… Quatre ou cinq gâteux, nés vers 1900 et qui continuent à penser qu'Eisenstein était un dangereux formaliste. Une troïka d'apparatchiks qui flairent la subversion partout. Quelques béni-oui-oui castrés. Et une petite meute de jeunes parvenus qui attiseront le feu…»

Oleg toussote, éclaircit sa voix assourdie par la tension :

« Et… et les jeux ne sont pas truqués d'avance ? »

Bassov, en vieux philosophe sceptique, pousse un soupir :

« Tout est truqué d'avance, cher ami. Le talent est piétiné. La médiocrité règne. La lâcheté remplace le jugement. Mais… »

Il se rend compte que son élève a besoin d'un conseil pratique, d'un encouragement.

« Mais… Tu as déjà gagné ! Le scénario est là et, comme disait Boulgakov, les manuscrits ne brûlent pas. Contrairement à leurs auteurs, pourrais-je ajouter… Donc, haut les cœurs ! Et puis… Ne me tiens pas grief de mes digressions trop personnelles. À mon âge, il est dur de se sentir un vieil amant dont aucune tsarine ne veut partager la solitude… »

Au moment de le laisser partir, Bassov murmure sur un ton de bouderie : « Je sais que tu y tiens comme à la prunelle de tes yeux mais fais-moi la grâce d'enlever le cheval ! »

Oleg lui serre la main, s'en va en patinant dans la neige.

Enlever le cheval… Dans le scénario, il y a ce cheval qu'on évoque en parlant des extravagances sexuelles de Catherine II. Un mythe, sans doute, et pourtant, dans une réserve de l'Ermitage, un employé complaisant a montré à Oleg ce support en bois : un agrégat pour retenir le cheval dont l'impératrice, dévorée par la lubricité, aurait utilisé la vigueur génitale... En France, le tribunal révolutionnaire accusait Marie-Antoinette de se livrer au stupre en compagnie de son tout jeune fils. En Russie, pour discréditer les tsars, on n'a rien trouvé de mieux que ces ébats hippiques. Cette calomnie-là, dans son énormité grotesque, est presque plus anodine que l'infamie qui visait la reine...

Dans le train, le jugement de Bassov lui apparaît sans appel : jamais son projet ne sera approuvé par le jury du CEAC. Avec une joie désespérée, Oleg décide de présenter à ces juges le manuscrit « avec le cheval ». Oui, il aura le cran de le faire !

Le «cheval» ressurgit une semaine plus tard…

Son ami Jourbine leur a déniché deux petits rôles: «Tu fais le con pendant trois heures et tu gagnes ce qu'on te paie pour cinq nuits aux abattoirs. Pas mal, non?»

La séquence filmée est brève: des «matelots révolutionnaires», fusil à la main, le visage taché de noir («Je suis bon à ramoner une cheminée», se dit Oleg) doivent envahir un palais.

Leurs assauts ne satisfont pas le réalisateur. Tantôt il les trouve trop lents, tantôt il leur reproche de courir comme «un troupeau de singes en rut»…

Pour être un authentique fils du peuple, Oleg a enlevé ses lunettes. Son regard flou croise, sans l'identifier, ce couple qui se tient à côté de la caméra. L'énième ruée des matelots est jugée passable. Les comédiens déposent leurs fusils, commencent à se débarbouiller… Remettant ses lunettes, Oleg a un mouvement de recul: à l'autre bout de la salle, le réalisateur parle avec Valentin Ziamtsev et Lessia. Arrivés au milieu du tournage, ils ont donc vu ce matelot myope bondissant dans l'escalier…

«Alors, Erdmann, ça doit te changer de ton travail aux abattoirs!» Ziamtsev lui tape sur l'épaule. «Stanislavski ne savait pas que pour jouer un matelot il fallait s'entraîner avec des carcasses de cochons, hein?»

C'est Lessia qui fait entendre le rire le plus dédaigneux: «Et à part les cochons? Ton scénario sur Catherine II, ça avance? Tu as terminé le cent cinquantième épisode?»

Le réalisateur jette à Oleg un regard de pitié: «Un scénario sur Catherine? Mortel!»

Oleg s'apprête à prendre congé quand Lessia l'interpelle d'une voix dont la froideur moqueuse le fige: «Elle en est où, ta Cathy, de ses coucheries? C'est qui, maintenant, son amant? Korsakov? Ou bien Lanskoï?» Et dans un aparté murmuré, elle ajoute: «C'était une vraie cochonne, celle-là…»

On rit aux éclats, un propos graveleux qu'émet une femme provoque d'habitude cet excès d'hilarité chez les hommes. Oleg sent la rougeur monter à son cou. De l'autre côté de la salle, il voit Jourbine qui se dirige vers eux. C'est alors que la réponse vient, sans qu'il ait à la préparer:

«Non, Lessia, finis, les cochons. À présent, Catherine préfère les étalons, surtout bruns. Tu sais bien que…»

Elle le gifle plus à la tempe qu'à la joue. Ses lunettes s'envolent, Jourbine fait un saut, tombe, les rattrape en criant : « Quel penalty ! » Il se lève, passe les lunettes à Oleg, chuchotant un bref « Décidément ! », et s'en prend à Ziamtsev : « Toi, Valentino, tu devrais te saper en mataf et courir avec nous, au lieu d'écrire ces scénarios débiles... » Et au réalisateur : « Chef, notre pognon, on va le toucher quand ? »

Dans la rue, la nuit est tombée. « C'est comme quand on quitte un cinéma, remarque Jourbine. Sauf que nous, on était dans le film... » Sa voix est un peu triste. « T'en fais pas, Erdmann. Les femmes, les hommes, l'amour... C'est aussi du cinéma. Sur le moment, on souffre, et après, on ne se rappelle même plus le nom des comédiens... Allez, ciao ! Ne te jette pas dans le canal Griboïedov, il est trop sale. Demain, aux abattoirs, on essaie de choper du foie de veau, d'accord ? »

Il s'en va, Oleg reste immobile, finissant la phrase que Lessia a interrompue : « Tu sais bien que... je transporte aussi de la viande chevaline... » C'est de lui-même qu'il voulait se moquer. L'impossibilité de se rattraper est si définitive qu'il en éprouve du soulagement. Le dernier lien est coupé, celui des paroles qui, hier encore, pouvaient lui rendre la voix de Lessia, sa respiration. Désormais, plus rien. Comment il disait déjà, Jourbine ? On oubliera même le nom des comédiens...

Ses pas l'éloignent du quartier où il habite et, pendant une heure, cet éloignement lui sert de but.

Le Leningrad touristique s'épuise, se muant en rues de faubourg, tristes murailles délavées, rez-de-chaussée éclaboussés avec de la neige sale que font gicler les camions. Des entrepôts, des usines et des habitations dont on imagine, avec une compassion perplexe, les occupants, oui, cette vieille qui hésite à traverser le boyau bruyant de la route…

L'immeuble qu'il aborde ressemble à un rocher solitaire. Une maison étroite, de trois étages, que l'urbanisme chaotique a oubliée dans un nœud coulant de voies de communication : tissage de rails, viaducs exhibant une armature rouillée… Contre toute logique, on voit des fenêtres éclairées, des plantes derrière les vitres, des petits rideaux de tulle… Les gens continuent à y vivre!

Mais, après tout, c'est ici qu'Oleg a vécu presque toute son enfance.

Il pousse la porte, écoute l'écho de la cage d'escalier, se met à monter. Le dernier palier, un escalier qui mène à mi-étage, une serrure dont il sait déjouer les grincements. Il referme derrière lui, reste dans l'obscurité, laisse se calmer les battements de son cœur.

Sur un rayonnage, à tâtons, il retrouve une torche électrique. Il n'a pas à reconnaître les lieux. À gauche, un coin qui servait, à la fois, de cuisine et de salle de bains. Un baquet en zinc est là, poussé sous la soupente.

Et ce souvenir : l'eau chaude que son père lui verse sur le dos, c'est l'hiver, la vapeur s'irise autour d'une ampoule… À droite, un lit en grosses planches et cette petite couche, donnant la mesure du corps qui s'y recroquevillait. Des bottillons sont sagement alignés près du mur. Leur cuir ridé rappelle la douleur des grands gels : l'enfant marche en comptant les traverses puis, ne sentant plus ses orteils, se souvient des histoires d'engelures, court, monte l'escalier, entre, se serre contre ce grand poêle sur lequel un seau d'eau chauffe. Bientôt ce sera le paradis, une coulée brûlante, l'odeur résineuse du savon, la mélodie que le père sifflote…

Oleg avance vers une table à dessin : le « bureau » du père. Des feuilles de grand format, des croquis de frontons, d'arcatures… Le halo de la torche glisse sur une lucarne et, soudain, arrache de l'obscurité cet assemblage désordonné, un empilement de colonnes, galeries, flèches, coupoles.

Une maquette de palais, haute d'au moins deux mètres et dont le sommet touche le plafond mansardé.

Le chaos de la construction a un effet hypnotisant. Le regard fuit dans la spirale d'un escalier en colimaçon, s'égare au milieu des arcs-boutants… Tous les styles y sont entremêlés. Des façades classiques se chargent de sculptures baroques, l'élan des ogives repose sur des colonnades antiques… Un château ? Une cathédrale ? Ou bien toute une ville compressée par un violent plissement des sols ? Les fragments en chantier se mêlent aux ruines savamment reconstituées.

Il y a aussi ce mystère : dirigée à un certain angle, la lumière éclaire, au fond de ce labyrinthe, un objet oublié, on dirait un rameau de corail, perdu dans une forêt de piliers…

Oleg revoit l'enfant qui restait, des heures durant, devant la maquette. Sa rêverie poussait les portes, pénétrait sous les voûtes. Sibylline, résonnait la voix du père : « Ici, il y aura un pronaos à colonnes lisses. Et là, une salle basilicale… Palladio… Piranèse… » Ces sons mystérieux répondaient à la joie d'être avec son père, de humer l'odeur de la colle à bois et la senteur du feu sur lequel chauffait leur repas du soir… « La galerie des Glaces du château d'Herrenchiemsee… L'abbaye d'Ottobeuren… » Sa mémoire retenait ces syllabes étranges, signes d'un bonheur qui allait se révéler si fragile.

Jamais il ne pensa que ce palais trahissait un glissement vers la folie. Le père s'emportait parfois, cassait une partie de l'édifice. « Ils taxaient la perspective de la Renaissance d'illusionniste ! Idiots ! Tout est illusion. Nos vies, nos passions… Et même la matière. Regarde, je vais briser cet escalier et il débouchera sur le vide ! »

L'enfant savait que la construction allait reprendre, ajoutant un fronton, une rangée de colonnes… Et que la vie reviendrait à ses joies simples : l'eau chaude du baquet, l'odeur épicée du savon, des mélodies que siffloterait le père.

La rupture le surprit d'autant plus durement qu'elle se fit pendant l'une de ces accalmies. Un jour, l'institutrice lui annonça qu'il ne rentrerait pas à la maison, car son père avait des «problèmes de santé»… Il ne pleura pas. Non pas grâce à un sang-froid particulier mais saisi par une obscure culpabilité: il avait caché que son père construisait ce palais démentiel et que parfois il se mettait à parler en allemand…

La honte aida l'enfant à supporter la séparation, les transferts d'un établissement d'éducation à un autre et les moqueries – ses camarades finissaient toujours par apprendre la vérité: «Ton père est fou, dis? Toi aussi, tu es un taré! Erdmann, tu es nazi, comme ton père?»

Ces injures l'accompagneraient tout au long de ses années d'école, même pendant les mois où les médecins autorisaient le père à rentrer chez lui. De plus en plus, l'enfant refusait ces retrouvailles, craignant ce bref paradis et le bannissement inévitable.

L'égoïsme de l'adolescence le libéra de la culpabilité. L'accusé était désormais son père, incapable de trouver mieux que son travail de géomètre de chantier et cette vie sous les combles. Le fils lui reprochait même leur nom allemand – «un nom nazi»! Mais surtout ce palais qui s'élevait, s'écroulait, exhibait d'incroyables ruines. Ne plus revoir ce père lui permettait de se sentir semblable aux autres...

Il devait avoir dix-huit ans quand, en plein centre-ville, près de l'Amirauté, il croisa ce petit vieux maigre, au crâne recouvert de filaments argentés. Son père ! La pitié qu'Oleg éprouva fut si acérée que les émotions arrivèrent avec retard : la honte ancienne d'avoir un tel père et la honte actuelle de l'avoir abandonné. Il manqua de courage pour l'aborder – le vieillard s'éloigna, chuchotant en russe et en allemand, posant sur les façades un regard successivement trouble et perçant. Pour expier sa lâcheté, Oleg alla le rejoindre le soir même.

Il n'y eut pas de retrouvailles, cette fois-ci. Le vieil homme semblait ne plus mesurer la durée. Il parla comme si son fils venait de s'absenter un moment : « J'ai construit cette colonnade, mais le temps n'en laissera que des ruines et les ruines, c'est la beauté libérée du temps. Les peintres dessinent les ruines, sans imaginer l'édifice. Nous, architectes, nous devons créer l'édifice et attendre sa chute... La vie n'est rien d'autre que l'attente de la chute. On passe sa vie au milieu des ruines de ce qu'on a aimé... »

Oleg se mit à venir chez son père tous les jours. Le langage qui, autrefois, lui paraissait obscur révéla son sens : la fantasmagorie du palais unissait des projets trop ambitieux pour pouvoir être réalisés. « Le Bernin a dessiné le Louvre, mais par manque d'argent, son rêve n'a pas vu le jour. Fischer von Erlach, lui, a conçu les plans du château de Schönbrunn. Personne n'a osé réaliser une telle splendeur…»

Cette utopie architecturale condensait toute la vie de son père. Ses douleurs russes, ses songes allemands, cette maison étranglée de rails, des monuments rêvés dans la patrie de ses ancêtres. «Toi, tu n'as jamais vu ce monastère Wiblingen et sa bibliothèque baroque… Quelle justesse dans les proportions!»

Parfois, l'envie était grande d'étreindre ce vieillard, de le sortir de ses divagations: «Mais, papa, toi non plus tu ne l'as jamais vu!» Oleg ne le fit pas, conscient que le fragile équilibre dont jouissait le père tenait à la continuité de l'illusion.

Un jour, la tête enfoncée dans les entrailles de sa maquette, le père murmura: «Et là, j'installerai une grande salle des Chevaliers, comme au château de Weikersheim. Une partie de notre famille était originaire de ce lieu…»

Oleg chuchota lentement – on interpelle ainsi un somnambule dans sa traversée périlleuse: «… ils vivaient donc pas loin de ce château. Et que faisaient-ils dans la vie?»

Le père dut prendre ces paroles pour l'écho de ses propres pensées. Il poursuivit son récit et, très vite, évoqua la vie plus proche, celle qui les avait laissés, lui et son fils, dans cette maison-rocher perdue au milieu des rails.

La disparition des portraits de famille marqua la jeunesse de Sergueï Erdmann, le père d'Oleg, plus que les grands événements de l'époque. Né en 1924, il passa son enfance au milieu de ces visages graves, en noir et blanc. La Russie était secouée de défis révolutionnaires, de promesses futuristes. Les vieux disaient encore Saint-Pétersbourg, Sergueï fit ses premiers pas déjà à Leningrad. Des centaines d'hommes, arrêtés chaque nuit, quittaient la ville et leur mort derrière les barbelés était acclamée dans les journaux comme le bienfait de la plus humaine des justices. Même les manuels d'école n'échappaient pas à la tourmente. Leur professeur ordonnait: «Ouvrez vos livres à la page... (il indiquait le numéro). Cette photo montre un ennemi du peuple que le Parti vient de démasquer. Noircissez-le à l'encre! Commencez par sa bouche qui calomniait notre patrie socialiste.»

D'un mois à l'autre, bien des rectangles noirs entachèrent les pages. Et dans les conversations des parents, Serguéï captait l'écho des disparitions plus discrètes : voisins de palier, collègues, anciennes connaissances.

Seuls les portraits des aïeux semblaient garder leur calme. Il fut rompu en 1936. Les photos quittèrent leurs clous et se réfugièrent au fond d'une armoire. Les parents eurent une réponse évasive : « C'est plus prudent… » L'adolescent n'essaya pas d'en savoir davantage : trop évident était le lien entre cette cachette et les taches d'encre dans son livre d'histoire.

Quelle était la faute de ces ancêtres ? Médecins, ingénieurs, commerçants, libraires, soldats, ils s'étaient toujours tenus éloignés de la politique. La révolution de 1917 n'en avait pas fait des opposants irréductibles. Son père, opticien, exerçait un métier peu propice à la contestation.

« C'est que nous sommes allemands… », murmura un jour la mère de Serguéï. Allemands ? Mais non ! Jamais ce nom d'Erdmann n'avait provoqué de méfiance. Même en 1914. Plusieurs Erdmann s'étaient battus sur le front, comme tant de Russes d'origine allemande. La révolution semblait devoir effacer ces survivances : titres, origines, nationalités… Pourtant, plus on prêchait l'homme sans nation, plus cette ancienne parenté germanique devenait suspecte.

Le père de Serguéï mourut au début de 1937, d'un arrêt cardiaque. Les derniers mois, il dormait habillé,

certain qu'une nuit on sonnerait à leur porte. Dans
la rue, une voiture noire l'attendrait, puis de longues
séances d'interrogatoires, de tortures... Le jour de
l'enterrement, la mère brûla leurs portraits de famille.
Depuis un moment, les journaux dénonçaient non seulement les «ennemis du peuple» mais aussi les «cauda-
taires hitlériens»...

N'avait survécu que ce jouet d'optique : un stéréoscope
muni d'une centaine de photos de villes européennes.
Berlin, Vienne, Milan, Rome... Serguëi se souvenait
qu'un jour ses parents avaient parlé de leur voyage en
Italie, peu avant la révolution. Désormais, vouloir franchir
la frontière paraissait plus insensé qu'aller sur la Lune.

Les villes du stéréoscope et leurs édifices firent naître
en lui un goût pour l'architecture, une passion à jamais
marquée par un voyage imaginé de ses jeunes parents
amoureux.

Ces Russes trahis par leurs racines allemandes eurent
un répit qui dura d'août 1939 à juin 1941. Le pacte
avec Hitler venait d'être signé, l'Allemagne devenait
un allié presque sympathique. «Ce n'est qu'un sursis»,
commenta la mère. La guerre éclatera et nous serons
ennemis pour les uns comme pour les autres. Que faire
pour qu'ils nous oublient?»

Elle décida de jeter l'attirail optique qu'employait
son mari : «On pourrait nous accuser de je ne sais quelle
observation militaire au profit d'Hitler.»

Quant à Sergueï, son idée semblait bien plus difficile à réaliser : changer de nationalité. Au pays de la surveillance totale, ses chances étaient minimes.

Il fut aidé par le chaos des premiers jours de guerre. Les bombardements incendièrent plusieurs immeubles de leur quartier. Sergueï entra dans une cour, jeta ses papiers au feu, laissa ses vêtements roussir aux flammes. Puis se précipita vers un centre de mobilisation. La bureaucratie militaire se montra peu scrupuleuse. La seule embûche, ce nom d'Erdmann. « Vous êtes d'origine allemande ! » s'étrangla le préposé. « Non, je suis juif... », répondit Sergueï. La mention fut inscrite, suivie de données plus anodines : l'âge (il s'était ajouté un an), sa situation d'étudiant en architecture...

Au début, il fut affecté dans une unité de génie qui préparait la retraite des troupes en débâcle. Son éloignement des combats lui permit de préserver le souvenir d'une Allemagne évoquée jadis par ses parents, patrie de poètes romantiques et de musiciens inspirés. Cette image résista à la vision des champs couverts de cadavres gelés.

La contre-offensive russe allait le guérir de son Allemagne rêvée. Engagé dans l'infanterie, il traversa, un jour, ce village brûlé à une centaine de kilomètres de Moscou. La vue des isbas carbonisées n'était pas neuve pour lui. Ce qui le figea, c'était ce chapelet de quatre corps calcinés qui ponctuaient la neige le long d'une clôture. Des corps d'enfants. Des petits fuyards qui s'étaient laissé prendre par le jet d'un lance-flammes. Un soldat allemand avait dû les tuer plutôt par curiosité, vérifiant si son arme pouvait les atteindre… Derrière la clôture, Sergueï vit un rescapé – un garçon aux paroles décousues, aux yeux déments.

Cette folie avait une intensité contagieuse, Sergueï ne s'en libérerait jamais, car aucune parole ne pouvait dire l'horreur de ces petits visages réduits à l'état de tisons.

Sa guerre allait être une longue réplique de ce village brûlé. Des villes en charpie noire, des corps broyés par les chars… Le souvenir de l'enfant fou revenait souvent, éveillant une pensée qui le faisait souffrir plus que ses misères de soldat: «Si mes ancêtres n'avaient pas quitté l'Allemagne, je serais probablement venu dans ce village, armé d'un lance-flammes…» Il secouait la tête, chassant ce fantôme de lui-même, constatait que si sa famille ne s'était pas installée en Russie, il ne serait jamais né. Sa douleur s'engourdissait.

Avant la guerre, il s'était toujours senti russe. Revenant du front, en 1945, il avait l'impression qu'une parcelle des crimes allemands lui était imputable. Il se traitait d'idiot, touchait les médailles qui cliquetaient sur sa vareuse, se disait que peu de ses camarades avaient fait la guerre, comme lui, de Moscou à Berlin! Mais plus il s'approchait de Leningrad, plus le sentiment d'être un Allemand embusqué devenait torturant.

Ce dédoublement se fit insoutenable quand il apprit que dès le début de la guerre, les Russes d'origine allemande avaient été déportés au-delà de l'Oural. Il sut que sa mère avait subi ce même sort, se renseigna, partit à sa recherche dans une petite ville de la Sibérie occidentale. Le baraquement qu'on lui indiqua, à son arrivée, était habité par plusieurs familles, des vieillards esseulés et trois ou quatre jeunes filles venues ici encore enfants et grandies sans parents. L'une d'elles, Marta, lui raconta leur échouage dans ce coin désert, la faim, les tempêtes de neige, le désespoir, la culpabilité de ces Allemands-là, innocents, qui payaient pour d'autres, ceux d'Hitler. Cette détresse tuait plus que les maladies. La mère de Sergueï était morte à la fin du premier automne de la guerre. «Elle m'a demandé de garder cette lampe», dit Marta.

Ce n'était pas une lampe mais une lanterne magique, la vieille relique des Erdmann.

L'année suivante, ils se marièrent. Marta, assignée à résidence, réussit à quitter la Sibérie – grâce à ce mari prétendument juif et décoré de médailles à l'effigie de Staline.

L'appartement où Sergueï avait vécu avant la guerre était occupé. Par des voisins qui avaient profité de la déportation de «sales nazis»... Les jeunes mariés louèrent une chambre, essayèrent de survivre, contents déjà de voir un ciel libéré de bombardiers. Sergueï reprit ses études d'architecture, boucla le cursus en deux ans, prépara son projet de qualification...

Il ne fut pas inquiet quand, en 1948, une nouvelle chasse aux sorcières se déchaîna, sous le nom de «lutte contre le cosmopolitisme dans la culture et les sciences». Il s'agissait, pensa-t-il, d'une reprise en main visant les intellectuels séduits, après la guerre, par la brève ouverture à l'Occident. Il en parla à Marta, lui expliqua le secret de la fausse nationalité juive marquée dans son passeport... «Et pourquoi ne pas leur dire la vérité?» lui demanda-t-elle.

Il l'aurait fait si, le lendemain, en pleine nuit, il n'avait pas été arrêté. On essaya de lui faire avouer sa participation à une organisation sioniste clandestine. Sous des tortures de plus en plus rudes, il répétait la vérité: ses origines allemandes, quatre ans de combats. Tout cela était facile à vérifier. Et cela finit par être vérifié et confirmé. Le recoupement biographique, accompli avec l'habituelle paresse administrative, prit deux ans et demi.

Après sa libération, il retrouva Marta, la vie reprit, mais il leur manquait désormais l'essentiel: la foi dans cette vie. Ils étaient comme ces rameaux qu'on met dans l'eau – les feuilles s'ouvrent, dégagent une senteur de printemps et laissent même apparaître, à la cassure, des radicelles qui cherchent en vain la fermeté du sol.

Ils vécurent ainsi, en suspens, eurent un fils, Oleg, né en 1954. Marta, décédée trois ans plus tard, parvint à lui donner ce qu'un enfant ordinaire n'eût pas reçu en si peu de temps – la certitude d'avoir eu une mère qui l'aimait comme il ne serait aimé par personne.

Oleg avait six ans quand son père emménagea sous les combles de l'immeuble-rocher. Dans la famille d'un camarade de régiment, il y avait eu une naissance de triplés, Sergueï lui céda sa chambre de l'appartement communautaire et vint s'installer dans cet «atelier» où les nouveau-nés n'auraient pas survécu.

Adolescent, Oleg connut l'humiliation de devoir avouer où il vivait. Peu à peu, il s'inventa un statut certes dépréciatif mais moins risible: soi-disant originaire d'une bourgade sibérienne, il ne pouvait pas espérer un logement décent. À tout prendre, porter le sobriquet de «paysan de Sibérie» était moins dur qu'être traité de «saleté d'Allemand».

Et puis, cet alibi le rapprochait de sa mère, du souvenir très ancien de sa table de nuit: enfant, il y voyait un collier de petites perles, une tasse de porcelaine, un livre fatigué et... Là, sa mémoire flanchait, incapable de reconstituer cet objet dont il ne se rappelait que la position. Souvent, il se disait que s'il avait réussi à le ressusciter dans sa vision, sa mère lui serait apparue beaucoup plus présente. Vivante…

« Le mica imite bien le verre des vitraux. Ce sera la copie de la Liboriuskapelle, un chef-d'œuvre du gothique flamboyant ! Elle se trouve à Creuzburg… »
Oleg écoutait son père qui, avec une lame, fendait une couche de mica. Une lampe éclairait, à l'intérieur de la maquette, un objet qui ressemblait à un éclat de corail. Oleg n'osait pas demander le pourquoi de cette présence au milieu des colonnes. Le père lui paraissait trop fragile pour un retour vers la réalité.

Une fois seulement, Oleg osa la question qui, depuis des années, lui brûlait les lèvres : « Et si tu avais été de l'autre côté, papa, dans un régiment allemand, et qu'on t'avait donné l'ordre de brûler un village… Tu l'aurais fait ? » Un coup de colère, un éclat de rire, un haussement d'épaules… Oleg pouvait imaginer chacune de ces réactions. Mais pas ce visage qui frémit, se froissa en petites rides de douleur et se réduisit à des yeux qui pleurèrent silencieusement.

Une semaine plus tard, le père trébucha sur une traverse, tomba, se démit un bras. Le soir, Oleg le retrouva assis à côté des rails, gémissant doucement, indifférent aux trains qui passaient. Il le ramena à l'atelier, chauffa de l'eau, lava ce petit vieillard dans le baquet de zinc... Le père s'endormit en lui tenant la main et c'est à travers le début du sommeil que, de sa voix ancienne, douce et un peu ironique, il murmura : « Quand je pense que tout cela nous est arrivé à cause d'une petite princesse allemande... » Oleg reconnut les paroles que les Erdmann répétaient parfois en commentant leur destin russe.

Le père mourut à la fin de l'année suivante, pendant qu'Oleg faisait son service militaire.

Aux moments les plus durs des années à venir, le jeune homme se rappellerait en souriant leur dicton familial : « Et dire que tout cela m'arrive à cause de cette petite Allemande devenue la Grande Catherine. »

II

«L'un de vos personnages vole cent roubles à un bonnetier. Logiquement, il s'agit de pièces de cuivre, vu la modicité des prix. Or la pièce d'un kopeck pèse, à l'époque, dix grammes. Les cent roubles pèseraient donc cent kilos. La somme pourrait être composée de pièces d'argent, ce qui réduirait le poids, disons, des trois quarts. Courir avec un sac de vingt-cinq kilos sur le dos est, en principe, possible. Mais votre héros, lesté de la sorte, traverse la Neva à la nage!»

Lourié rajuste ses lunettes, baisse la tête vers un épais cahier aux pages cornées. Oleg se surprend à ne plus respirer, s'agace, bouge sur sa chaise pour rompre cette fixité d'accusé.

Bassov, son professeur, avait bien vu – les membres du Comité d'État pour l'art cinématographique, le fameux CEAC, ont laissé parler un «expert»: ce Lourié, un homme sec, à l'expression bilieuse et rêche. «Un universitaire miteux, pense Oleg, on l'a retiré d'un placard pour qu'il se délecte à humilier un ignare...»

Sa méthode est efficace : sans critiquer l'aspect artistique du scénario, Lourié s'en prend à une séquence, démontre que son contenu est erroné. Les «juges» paraissent ravis. Ils sont tels que Bassov les avait décrits : des fonctionnaires du cinéma, ayant peu de réalisations à leur actif et d'autant plus prompts à dénigrer le travail des autres. Oleg reconnaît les catégories que son professeur a définies : quatre vieux dinosaures qui voient partout le danger du formalisme, ce trio d'apparatchiks mornes, un groupe de jeunes parvenus, habillés à l'occidentale... Lourié reprend son réquisitoire :

«Ne croyez pas que je sois attentif uniquement à la circulation monétaire. Mais c'est dans ce domaine que votre scénario s'éloigne le plus de la vérité historique. Cette scène, par exemple, où Pierre III jette par terre les roubles fraîchement frappés à son effigie. D'après vous, le geste dénote sa nature irascible. En réalité, le tsar s'emporte contre la coiffure dont le graveur a cru bon de le parer : une perruque bouclée, à la française. Fatal choix car il déteste Louis XV. Même bévue avec Cagliostro. Chez vous, il promet à Catherine de transmuer le fer en or. Un entretien improbable. Elle tient Cagliostro pour un charlatan, et le ridiculisera d'ailleurs dans une comédie, *Le Menteur*. En revanche, une idée pratique du "mage" remporte un vif succès en

Russie. Un jour, Potemkine apprend qu'on a volé les boutons de tous les uniformes de ses soldats. L'enquête ne donne rien. Cagliostro avance une explication de chimiste : ces boutons sont faits d'étain et, par grands froids, ce métal se désagrège en poussière, on appelle cela la "peste de l'étain". L'Italien conseille de le remplacer par un alliage de zinc et de cuivre – le laiton. Depuis, l'armée russe se boutonne "à la Cagliostro". Comme vous voyez, un peu de précision ne ferait pas de mal à votre imagination d'artiste. Maintenant passons aux griefs plus importants...»

Oleg se force à affronter le regard de ses « juges ». Les mines sont hilares, condescendantes...

Dans la voix de l'historien se fait entendre la joie d'un coup de grâce très proche :

«Donc... Le fils de Catherine, le futur Paul Ier. Selon vous, à Paris et à Rome, il a recours à des interprètes. Faux! Paul, dénigré par ses biographes, parlait au moins huit langues. Ensuite. Catherine, en compagnie de Mamonov, écoute du Vivaldi. Peu plausible. La tsarine n'aime pas la musique, il s'agit d'un véritable défaut d'audition. Aux virtuoses, elle préfère les excentriques qui jouent au piano en se servant de leur nez ou de leurs orteils... 1796 : le roi de Suède, Gustave IV, rompt ses fiançailles avec Alexandra, petite-fille de Catherine. Vous insistez avec justesse sur la douleur qu'en ressent la tsarine, ce choc précipitera sa mort. Sauf que la raison de la dérobade est autre. Pour la forme, Gustave exige que sa fiancée se convertisse au protestantisme. Mais, en vérité, il est effrayé par la licence qui règne à la Cour : Catherine, presque septuagénaire, partage son lit avec les frères Zoubov, vingt-huit et vingt-quatre ans, respectivement... Les « villages Potemkine » : indestructible cliché ! Cette mystification n'a jamais eu lieu. Oui, au passage de la tsarine, ses sujets enjolivaient leurs isbas. Oui, on construisait des débarcadères là où Catherine accostait, pendant son voyage pour la Crimée, et des résidences d'étapes où elle se reposait. Mais tout cela ne dépassait pas les habituels arcs de triomphe, tapis rouges et guirlandes fleuries. Une autre légende à laquelle vous prêtez foi : les liaisons lesbiennes de Catherine. La rumeur est due à un quiproquo. Un soir, dans un bal masqué, Catherine aborde un jeune officier qu'elle mettrait volontiers dans son alcôve. Or, sous le masque, se cache une jeune femme ! Par ailleurs, vous entourez les rapports homosexuels entre Casanova et Lounine de je ne sais quel voile de non-dit. Ce genre de commerce charnel était, alors, assez banal... Et puis, attention au langage ! « Le général N. fut blessé aux parties génitales », dit l'un de vos héros. Au siècle catherinien, cela aurait donné : « Un coup de sabre l'a rendu eunuque ! »

Les ricanements des membres du jury chuintent avec une satisfaction poisseuse.

«Enfin, deux scènes sans fondement réel. D'abord, aucune servante de Catherine n'a été emmurée, *a fortiori* vivante. Pure invention des historiens au service de l'idéologie. En outre, jamais le favori infidèle Mamonov et son épouse n'ont subi de représailles. Le viol de la jeune mariée est un vieux ragot que nous devons à la propagande antimonarchiste de 1917. Bien au contraire, c'est Catherine qui marie les deux amoureux. Et, ironie du sort: vite déçu par la routine conjugale, Mamonov implore la tsarine de le réinstaller dans son alcôve...»

Un nouveau plongeon de ce nez de rapace dans ses notes et déjà, on entend des conciliabules, à mi-voix, entre les membres du CEAC. Dans une brève fuite de pensée, Oleg revoit Lessia... Pour la faire revenir, il pourrait tout renier! D'ailleurs, soucieux de plaire à ces juges, il a retiré du scénario les «amours chevalines» de l'impératrice...

Dans l'intonation de l'historien, une nuance nouvelle – la pitié envers le vaincu:

«Le sujet est complexe. Pouchkine lui-même formulait sur la tsarine des avis contradictoires. "Tartuffe en jupons, disait-il. Une vieille débauchée." Tout en déclamant: "Russie, ta gloire est morte avec Catherine!" Il faudrait parler de l'impératrice Élisabeth qui a invité cette jeune Allemande à Saint-Pétersbourg. Les faits sont connus. Élisabeth, fantasque et angoissée, ne dormant jamais deux nuits de suite dans la même chambre et ne mettant jamais deux fois la même robe, une déséquilibrée dont tout le monde redoute les foucades. Catherine vit en prisonnière : sa correspondance est lue, ses sorties étroitement surveillées. Non, Élisabeth n'est pas un monstre, c'est elle qui abolit la peine de mort en Russie ! Quel autre monarque, en Europe, pourrait alors s'en vanter ? Pourtant, quand elle meurt et que reviennent de Sibérie les victimes de son règne, on voit surgir une foule de muets : la langue coupée, une punition courante… Et avant Élisabeth ? La tsarine Anna : les condamnés la bénissaient quand la hache remplaçait le pal. Et Pierre le Grand ? Il adorait torturer, surtout à l'estrapade. Catherine met fin à cette folie. Tout comme à la loi qui autorise à supplicier les enfants dès l'âge de douze ans. Pour repousser cette limite à dix-sept ans, elle doit se battre contre le Saint-Synode qui, par pure charité chrétienne sans doute, s'y oppose. Des lois semblables, soit dit en passant, existaient du temps de Staline… »

Tassé sur sa chaise, tel un boxeur sonné, Oleg se rend compte que les attaques de Lourié ne visent plus son scénario. Un coup d'œil aux « juges » : les visages ont perdu leur contentement goguenard. Ce Lourié, invité pour démolir un scénario, est sorti du rôle imposé. Il ose évoquer « les historiens au service de l'idéologie » et va même jusqu'à comparer Pierre Ier à Staline !

«Bien sûr, les têtes tombaient aussi de l'autre côté de la frontière. Vous mentionnez l'exécution de Damiens qui a tenté de poignarder Louis XV. La façon dont le corps de Damiens a été dépecé, la perfection de son supplice, dépasse de loin le savoir-faire des bourreaux russes. Quant au Saint-Synode prônant la torture des enfants, rappelons qu'en 1756 on a fait brûler en Allemagne, à Mayence, deux dangereuses sorcières, âgées l'une de sept ans et l'autre de cinq. Je cite l'Allemagne, la patrie de Catherine, les exemples espagnols pourraient être plus éclairants encore...»

Lourié écarte son cahier de notes, s'empare d'un verre, boit longuement. Un toussotement chevrote du côté du jury : plusieurs membres du Comité s'apprêtent à prendre la parole. L'historien ne leur en laisse pas le temps :

«Grâce à Catherine, même l'humour change en Russie. Élisabeth, jalouse de la beauté des jeunes femmes, avait l'habitude de les complimenter à sa manière : "Oh, quel joli petit cou ! Je le verrais bien sur un billot..." Un tel "trait d'esprit" aurait paru parfaitement barbare à la cour de Catherine...»

Oleg devine la tactique de Lourié : désarçonner les «juges» pour pouvoir continuer. Non, ce n'est pas un cuistre grisé par son rôle de conférencier mondain. C'est un homme qui joue son va-tout, saisissant la chance de parler librement. Et qui se demande : «Si je ne le fais

pas maintenant, face à ces gardiens de la pensée autori-
sée, qui le fera? Et quand?»

«L'*Instruction* de Catherine, le manifeste de ses
réformes, pose les bases d'un État où la dignité humaine
est respectée. Vingt ans avant la Révolution française,
la tsarine réunit des états généraux où les seigneurs
siègent à côté des paysans. Et quand l'un des nobles
se met à dénigrer les députés populaires, on l'oblige à
leur demander pardon publiquement!

– Et si l'on revenait à notre sujet, camarade Lourié?»

La voix du président du jury fait entendre un mélange
de colère retenue et de condescendance paterne.

«Mais nous sommes dans le vif du sujet, camarade
président! Les spectateurs trouveront très actuel le passé
que le camarade Erdmann évoque. L'interdiction de la
torture que prône Catherine. La présomption d'inno-
cence qu'elle impose aux tribunaux. Et la liberté de la
presse? Elle qui crée des journaux et s'y exprime…»

Un chuintement indigné répond à ses paroles, puis
s'en détache un timbre nasal et aigu, celui d'un jeune
«juge»:

«Vous semblez adorer cette grande humaniste.
Pourtant c'est elle qui a aggravé l'asservissement des
paysans…»

Lourié enchaîne, imitant le ton de son contradicteur:

«… tout en étant sûre que le servage devait être
aboli. Elle n'ose pas le faire – "les nobles me pendront

avant", dit-elle. Ce qui n'est pas une figure de style :
ses ennemis veillent. Catherine signe un décret confir-
mant les privilèges de la noblesse. "Mais je l'ai signé en
pleurant", avoue-t-elle. N'oublions pas qu'elle fait face
à des hommes habitués à comploter, à tuer. Catherine
réussit à les dompter…
— Dans son alcôve surtout… »
Le président pousse un rire forcé que les membres
du CEAC reprennent et amplifient.
« Oui, camarade président, son corps était une arme
dans la lutte politique, au milieu des fauves. Le camarade
Erdmann décrit bien ce bestiaire. Et aussi les instants
où Catherine espère être aimée. Imaginons un film
répondant à cette unique question : parmi les hommes
qui ont tous profité de cette femme exceptionnelle, y
en avait-il un seul qui l'ait aimée ? »
La voix de Lourié faiblit. Il donne l'impression de
murmurer une vérité nouvelle pour lui-même… Les
« juges » se hâtent d'intervenir :
« Écoutez, on ne va pas faire de cette massacreuse de
paysans une madame Bovary !
— Cette alcôve, d'accord, mais il y a aussi toutes ces
affabulations que vous dénoncez, camarade Lourié ! »
L'historien semble désemparé, trop profondément
plongé dans sa rêverie… Mais déjà il se reprend, avec
l'énergie d'un débatteur aguerri.
« Vous avez raison de citer ladite alcôve. Le camarade

Erdmann parle des poulies qui soulèvent le miroir au-dessus de ce nid d'amour. Or, en vérité, il s'agissait d'une glissière : le miroir était repoussé de côté. Une petite erreur facile à corriger. Quant aux "affabulations" dont vous parlez, faut-il vraiment les corriger ? Depuis deux siècles, ces légendes sont rapportées dans les livres d'histoire. Pourquoi ne pas les filmer ? Pourquoi ne pas représenter Catherine telle que notre conscience collective la voit : une nymphomane attirant dans son lit tous les officiers de sa garde, une jalouse qui fait emmurer une servante, une vindicative qui envoie ses soldats violer une rivale ?

— Mais attendez, professeur ! Notre cinématographie n'admettra jamais le délire de cette vision anti-historique ! »

Le président frappe la table des deux mains : ses boutons de manchettes émettent un bref tintement geignard. Le sourire de Lourié semble prendre en compte cette sonorité plaintive.

« J'en conviens, camarade président. Surtout que dans cette "vision anti-historique" il y a ce fameux cheval ! Oui, l'étalon dont la force sexuelle aurait servi à satisfaire les vils instincts de la tsarine. Saluons la retenue du camarade Erdmann qui a refusé d'exploiter ce récit fantaisiste... »

Le jury du CEAC, jusque-là soumis au président, éclate en groupes, mêlant des rires, des protestations, des bouts d'arguments. Les plus déchaînés sont les quatre barbons – ils gloussent, grimacent, agitent les bras, imitant un étalon piaffant. Les jeunes parvenus tordent leurs lèvres avec un rictus de dégoût. Les autres hésitent entre sévérité et grivoiserie, cherchant à savoir de quel côté penchera l'humeur du président. Celui-ci pousse un ricanement de grand-père coquin, puis se crispe, rabroue les vieux qui, à présent, imitent un hennissement. Sa voix parvient à dominer le tumulte :

« Camarades Lourié et Erdmann, je vous propose d'attendre dans le couloir ! »

Oleg sort le premier, l'historien le rejoint, les bras chargés de ses notes. Le couloir est vide. Le bruit des voix, derrière la porte, se calme, effacé par le ton pesant du président. Lourié lance un clin d'œil à Oleg :

« L'ennemi est désorienté. C'est tout ce que j'ai pu faire...

– C'est déjà beaucoup... Moi qui m'attendais à une exécution sommaire !

– J'ai épinglé des erreurs bénignes, pour que le jury se braque là-dessus et laisse passer les choses politiquement risquées... Mais le plus important c'est ce sujet caché : une femme entourée d'une armée d'amants et qui n'a jamais été aimée. Vous avez visé ce paradoxe ?

– Non, au contraire, j'ai évité cet aspect-là. J'avais peur d'une interprétation trop psychologique, du genre :

la solitude sentimentale des grands de ce monde. J'ai voulu outrer le côté cynique de ce règne…

– C'est cela qui est fabuleux : un siècle de prédateurs, de dévoreurs de belle chair et de bonne chère, et parfois chez eux, cette intuition de l'échec de leurs vies victorieuses et la soif d'une tout autre vie… »

La porte s'ouvre, l'un des « juges » sort dans le couloir.

« Le Comité aura besoin d'une délibération supplémentaire. On vous avisera, camarade Erdmann. Au revoir. »

Dehors, Lourié se dirige vers une bouche de métro, s'arrête, lui serre la main… Et, soudain, comme en brisant une barrière, il demande :

« Sergueï Erdmann est votre père ?

– Oui… Il est mort, il y a… huit ans.

– Nous nous sommes connus, en 1948, durant la détention préventive. Au moment de la lutte contre le cosmopolitisme… Portez-vous bien. On se reverra peut-être. À la première de votre film, qui sait ? »

De retour chez lui, Oleg relit le scénario d'un regard neuf, avec la voix de Lourié. Il regrette de ne pas lui avoir conté ce dicton que ses parents répétaient aux moments les plus durs de leur vie : « Tout cela à cause d'une petite princesse allemande qui a eu la fantaisie de venir s'installer en Russie ! »

Des couturières, fébriles, recousent la robe sur ce corps monumental, se piquent les doigts, courbent la tête sous les claques que la femme distribue. Des hanches amples, un ventre bombé – le scintillement des aiguilles tend les soies, drape la chair, la comprime, la fuselle et, enfin, ouf, réussit à mouler cette lourde idole. L'impératrice Élisabeth entre au bal… Les courtisans la voient se renfrogner – une invitée est coiffée mieux qu'elle-même. Vite, une paire de ciseaux! La malheureuse perd ses boucles et s'enfuit en pleurant… Au retour, on découpe la robe sur Élisabeth, on incise le brocart, on déchire les dentelles. L'impératrice déteste les déshabillages, tous ces crochets, lacets, vertugadins… Le lendemain, un nouveau bal dont elle a choisi les costumes : les femmes, ce soir-là, sont vêtues en hommes et les hommes portent des robes à panier. Oh, ces pantins embrouillés dans leurs crinolines et ces tétonnières engoncées dans des tuniques militaires!

Elle ordonne aux musiciens de forcer le rythme – les danseurs tombent, gigotent sur le parquet…

Un autre déguisement : la comtesse Lopoukhina à qui un bourreau arrache ses vêtements, pour exposer son dos aux brûlures d'un knout. La peau éclate, le cuir du fouet s'imbibe de sang, la femme s'évanouit, on lui ouvre la bouche, le bourreau attrape sa langue, fait briller une lame…

Un travestissement de plus : des jeunes paysans affublés d'un uniforme courent dans un champ d'orge, pointent leurs baïonnettes, embrochent d'autres paysans qui portent un uniforme de couleur différente.

Ces scènes doivent leur rapidité au regard d'une adolescente qui s'immisce partout, écoute, scrute, devine. Bientôt, elle est entraînée dans ce tourbillon de masques : tsarine, épouse rejetée, aventurière, mère, amante, régicide…

« La vitesse de l'action, c'est tout ce qu'on a gardé de mon scénario. » Pendant le tournage, Oleg se le dit souvent et, tout de suite, il reconnaît que cette façon de filmer l'Histoire est le sens même de son projet. Sa force, sa nouveauté. Son scénario a survécu ! Quoi de plus important ?

En février, six mois auparavant, le jury a enfin rendu son avis : la réalisation du film sur Catherine II a été confiée à un cinéaste chevronné, Mikhaïl Kozine.

Le «camarade Erdmann» n'a pas été oublié : on l'a nommé «assistant artistique». «Les loups sont nourris et les brebis bien en vie, a commenté son professeur Bassov. Tu n'as ni gagné ni perdu. En fait, si! Tu as gagné car Kozine, c'est du costaud. Un type bizarre, tu verras, un ombrageux. Et bègue, ce qui rend la communication ardue. Mais un œil juste, un grand savoir-faire... Et dire que ces limaces du CEAC ont eu la trouille! La protection du Kremlin, ça peut aider, non?»

La «protection» a surtout permis de démarrer le tournage dès le mois de juin. «S-s-son p-p-remier é-été en Ru-ru-russie...», disait Kozine. Oleg regardait cette bouche qui tremblotait péniblement – oui, le tout premier été de Catherine à Saint-Pétersbourg. On sentait chez Kozine le désir de propulser, sans tarder, la jeune Allemande dans le bref éden des nuits blanches...

Curieusement, son bégaiement rendait les rapports, sur le plateau, plus simples : Kozine ne disait que l'essentiel. Incapable de démontrer, il montrait. Mimant une scène, il laissait les comédiens l'emplir de passions vécues.

Cet art silencieux a réconcilié Oleg avec son statut de second : «Jamais je ne pourrais diriger les gens comme Kozine le fait!» Le conseil de Bassov lui revenait à l'esprit : «Note tous les détails de sa manière de travailler. Tu n'es pas si éloigné de lui dans ta vision des choses.

Seulement, pour lui, sa caméra est l'unique moyen de parler aux autres...»

À présent, deux mois après le début du tournage, son bloc-notes est rempli de remarques, de croquis, de minutages. Les scènes réussies : la robe découpée sur Élisabeth, des hommes en crinoline qui rampent sur le parquet, Lopoukhina et son bourreau, la bataille dans un champ d'orge...

Les faits sont réels. Élisabeth possédait quinze mille robes. Catherine, en dansant, est tombée un jour sous la jupe d'un courtisan déguisé. Lopoukhina a été mutilée alors que sa coaccusée, la princesse Bestoujéva, a glissé dans la main du bourreau une croix sertie de diamants, sauvant ainsi sa langue. La charge à la baïonnette au milieu des blés reconstitue l'une des batailles de la guerre de Sept Ans...

Un diplomate suédois et le jeune Poniatowski viennent à la réception que donnent Catherine et Pierre. La levrette de la tsarine attaque le Suédois, alors que Poniatowski a droit à de tendres frottements. « Rien de plus traître qu'un chien... », murmure le diplomate à l'oreille empourprée de l'amant.

Même concision pour filmer le commerce charnel qu'organise Potemkine : il reçoit cent mille roubles de chaque favori qu'il place auprès de Catherine. La somme correspond au montant du « cadeau de bienvenue » que la tsarine offre à l'amant. Kozine enchaîne les deux transactions : le jeune homme récupère son pactole et va l'offrir à Potemkine…

Oleg retient des détails encore plus ponctuels : Catherine vient à Moscou, son carrosse s'embourbe, l'or d'un bulbe d'église se reflète dans la boue, un cochon observe avec paresse le cortège enlisé… Cinq secondes d'action et le mépris de Catherine pour Moscou crève les yeux !

Très brève aussi la séquence où Catherine se cache sous son lit pour échapper à la colère de son amant Orlov. «J'en aurais fait une scène comique, pense Oleg. Kozine, lui, montre une femme effrayée face à des mâles zoologiquement sélectionnés pour tuer, violer, écraser les faibles…»

Ce laconisme est l'écho de la voix entravée de Kozine.

Poniatowski aime Catherine au risque d'aller croupir au bagne ! «En voyant sa beauté, on oublie que la Sibérie existe.» Un aveu romantique que Kozine prolonge de trois secondes : l'amant repart en Europe, oubliant bien vite sa grande passion.

«Après t'avoir aimé, comment en aimer un autre ?» Catherine, en pleurs, le dit à Potemkine. Une seconde après, la caméra la surprend dans les bras de Vassiltchikov, celui qui a le courage d'avouer : «Je ne suis qu'une fille entretenue…»

C'est à ce moment du tournage qu'un petit incident se produit. Le comédien qui joue Vassiltchikov s'éloigne dans une galerie du palais. Kozine s'apprête à parler, le regard tourné vers l'un des chariots sur rail. Sa langue s'enraye dans un soufflement peiné... Mal bloqué, le chariot engage soudain une glissade, roule, s'arrête. «Un travelling par télépathie!» s'écrie un technicien. Ils ont tous l'intense intuition d'un «arrière-jeu» – d'un monde derrière les mots.

Oleg va dehors, vers le gris cendré de la Neva, allume une cigarette. La pensée est troublante: une vie au-delà des jeux du pouvoir et du désir qu'ils sont en train de filmer...

Il se hâte de se rassurer: «Mais non! Kozine va faire un bon film réaliste, fidèle à la "ligne du Parti". Catherine épouse ce dadais de Pierre. Premiers amants, coup d'État, la fièvre des grandes réformes. Guerres, fêtes, discussions avec Diderot... L'apothéose: Catherine en Crimée. Et la chute – la prise de la Bastille, une vieille tsarine, abandonnée par Mamonov, sanglote devant une fenêtre...»

«Oleg, c'est terminé pour aujourd'hui! On rentre? Non, offre-moi d'abord une glace: Kozine m'a trouvée géniale!»

Oleg embrasse ce joli visage qu'on vient de démaquiller: Dina – la jeune Catherine II. Une demi-heure avant, elle se précipitait vers une alcôve secrète, un miroir s'écartait, on voyait un lit, un Vassiltchikov nu...

Ils s'arrêtent sur le pont du Palais, s'enlacent, le corps de Dina a une souplesse végétale. Un corps qui se prête à tout ce que le rôle exige. Et dans leurs étreintes, cette élasticité offre un plaisir serein, une douce banalité.

« Tu as vu ce chariot qui a roulé tout seul ? Un phénomène paranormal, hein ? »

Elle rit avec une joie légère, enfantine. Tout dans ce tournage est si bien rodé que leur rencontre semble faire partie du scénario. Les costumes sont livrés à temps, les décors habilement disposés et la jeune vedette tombe amoureuse de l'« assistant artistique ». Il ne manquerait plus que Kozine s'entiche de la tsarine *bis*, de la « vieille » Catherine ! Un beau couple : cet ours bègue et l'actrice est-allemande qui viendra bientôt à Leningrad…

Ils contournent la forteresse Pierre-et-Paul, s'installent dans un café. Dina pousse un soupir comique : « Je ne veux pas te gâcher l'appétit, mais tous mes amants sentent… mauvais. Surtout Poniatowski. C'est le plus gros, et en plus Kozine veut qu'il porte des trucs en fourrure. Soi-disant, c'est un aristocrate qui craint le moindre courant d'air. Le prince au petit pois ! Et moi, je dois supporter ses effluves… »

Derrière la fenêtre, on voit la muraille de la forteresse et, dans une percée de lumière – le vide bleuté au-dessus de la Neva… Quelques mois auparavant, la vie d'Oleg était ce fleuve glacé, les rares rencontres avec Lessia, la douleur, la honte. Maintenant, il y a cette jeune femme qui l'aime, le tournage, le travail avec Kozine. Un parfum de vacances. La lévitation d'une vie inexplorée.

Dina tend son bras, l'attire vers elle. Il se laisse faire, se prêtant à la douceur de ces jeux humains. À vingt-huit ans, il a enfin l'impression de comprendre que ne pas trop aimer peut être une forme de sagesse.

Dans la mimique de Dina, il reconnaît le sourire que la jeune Catherine amoureuse adressait à Vassiltchikov.

Des figurines de soldats, faites d'amidon, défilent sur le parquet du salon. Un homme, à quatre pattes, aligne des régiments, siffle pour imiter la mitraille... Un valet entre, annonce que le dîner est servi. À contre-cœur, l'homme abandonne son jeu, s'en va. Et dans le salon où une bougie laisse couler sa cire sur le parquet, apparaît un rat – monstrueux car proportionné à la taille des petits soldats... Un brutal changement de plan – et ces figurines sont écrasées sous des bottes de géants. Des assassins s'acharnent sur celui qu'on a vu jouer à la guerre...

C'est Oleg qui a suggéré cette vision du meurtre de Pierre III. «Un assistant artistique, ça peut être utile», plaisante-t-il parfois. Kozine acquiesce: «La m-m-meilleure r-roue, c'est la cin-cin-cin-quième!»

Une autre suggestion: Cagliostro. «On a tellement écrit sur les cures de jouvence que ce charlatan dispensait aux Pétersbourgeoises. Filmons plutôt le bébé de la princesse Golitsyne. L'enfant vient de mourir, Cagliostro emporte le cadavre et, deux semaines plus tard, le bébé est ressuscité! Les parents exultent et seule la nourrice, une paysanne illettrée, dénonce la substitution. Seule, elle est véritablement attachée à cet enfant.»

Oleg a appris le langage muet de Kozine. Il connaît sa grammaire: une scène «compressée» dans un détail, une idée qui naît de la simple succession des objets filmés... Catherine se donne à Grigori Orlov (le reflet mat d'un miroir) et, dans un autre miroir, Pierre III, la gorge broyée sous la botte d'Alexeï Orlov, le frère de Grigori...

Kozine a un geste bien à lui pour montrer que la solution lui plaît: d'une main, il serre une aiguille imaginaire, de l'autre – passe un fil dans le chas. «Tu as tapé dans le mille!» dirait-il mais ses mots bègues demanderaient trop de temps.

On devine que ce film est, pour Kozine, un examen de repêchage après une faute qu'il doit se faire pardonner. La censure l'attendra à chaque tournant et, particulièrement, aux scènes peignant la vie sexuelle de la tsarine. Oleg se souvient que, selon un biographe, les murs dans l'alcôve de Catherine étaient recouverts de miniatures galantes: nymphes et satyres, poses suggestives, copulations dansantes. Pourquoi ne pas les filmer, à la place des séquences de sexe qui vont être, de toute façon, censurées? Kozine réfléchit un instant, puis lève ses mains. Un fil, un chas d'aiguille!

C'est l'alcool qui libère Kozine de son bégaiement. Un soir d'août, ils se retrouvent, en tête à tête, dans un restaurant – «pour faire le point à mi-parcours». Bientôt, la «jeune Catherine» (Dina qui a vieilli d'une trentaine d'années) passera le relais à Eva Sander, l'actrice est-allemande qui jouera la tsarine sur le déclin... Kozine en est à son quatrième verre.

«Erdmann, tu n'auras plus à être jaloux de tous ces amants qui pelotent Dina... Tes miniatures érotiques lui ont déjà facilité la tâche. Imagine, s'il fallait jouer ces cavalcades sexuelles en vrai! Cavalcade, c'est bien le mot! La tsarine avait un faible pour un cheval, paraît-il... Un ragot, je sais. Mais il en dit long sur le mépris que les hommes ont pour des femmes comme elle! Justement, je voudrais la défendre...»

Kozine jette des regards furtifs autour de lui, une vigilance machinale: au téléphone, au restaurant et même en parlant à des amis proches...

«Je ne vais pas lui tresser des lauriers, reprend-il, il faut juste montrer qu'elle n'était pas une baiseuse pathologique ni une obsédée du pouvoir. Bien sûr, les vieux crocodiles du CEAC charcuteront tout ce qui dépasse le portrait officiel. Ils supporteraient, à la limite, ses fesses nues mais pas le côté révolutionnaire de son règne.

Tiens, elle crée la Maison de l'éducation – n'importe quel enfant de serf, admis comme élève, y devient libre. Elle ne peut pas abolir l'esclavage, alors elle entreprend une manœuvre oblique. Les paysans savent qu'un moyen de s'affranchir existe. Et c'est l'essentiel! Comment le dire sans faire sortir les crocodiles de leur marigot?»

Kozine boit lentement, son visage est détendu: il vient d'avouer le fond de sa pensée, le fardeau de suspicion tombe. «Réhabiliter Catherine II, pense Oleg, une mission subversive qui, dans notre pays, fait de vous un dissident!»

Il le dit, tel un mot de passe que Kozine attend. Et si l'un d'eux cache son vrai jeu, c'est déjà une autre histoire. Celle de la délation que tout le monde craint en se confiant. Eux, ils ont misé sur la sincérité.

«Faisons comme Lourié!» Oleg précise: l'historien qui a défié le CEAC. «Imitons sa méthode. Un flash de vérité – cette Maison de l'éducation où un esclave devient libre – et, tout de suite, une scène politiquement inattaquable. Un hobereau qui lit cette annonce: "Sont à vendre une briska neuve et une serve de vingt ans"...

– Et la méfiance des crocodiles sera endormie par ce rappel de la dure réalité féodale, c'est ça? Oui, la vente d'une calèche et d'une jeune femme, réunies dans le même lot...»

Kozine le dit en exécutant son geste d'approbation: un fil dans le chas d'une aiguille.

«Et qu'est-ce qu'on fait de la scène où Catherine parle de son *Instruction*? Un texte tellement en avance sur son temps que sa publication est interdite en France. On ne nous laissera jamais montrer cela.

– On racontera une anecdote, comme le faisait Lourié. Tu filmes un courtisan qui récite des vers, lourds à se tordre les mâchoires. À la cour de Catherine, on rachetait un manque de goût en déclamant un poème de Trédiakovski, cet émule pataud de Boileau…»

Ils rient, imaginent Dina, d'abord grave et émue, son manifeste de réformes à la main («Les gouvernants doivent servir le peuple et non pas le soumettre à leurs caprices») – ensuite, facétieuse, elle sourit en écoutant les borborygmes versifiés qu'ânonne un courtisan en sueur.

Kozine se reverse du vin, soupire, comme s'il proposait à Oleg une épreuve au-dessus de leurs forces:

«Bon, Catherine, on va la sauver. Mais Potemkine? Il est fichu, non? Tyran, prévaricateur, érotomane, belliciste… Et en plus, un cyclope! Les frères Orlov l'ont éborgné dans une rixe. Une ambiance très virile pour notre petite Cathy qui débarquait de sa principauté de conte de fées… Alors?»

Oleg tire son carnet.

«J'ai quelqu'un pour plaider sa cause: le prince de Ligne. Écoute. "Potemkine est l'homme le plus extra-ordinaire que j'aie jamais vu… Paresseux et travaillant sans cesse… Triste dans ses plaisirs, malheureux à force d'être heureux, blasé sur tout, se dégoûtant aisément, morose, inconstant, philosophe profond, ministre habile, politique sublime, léger comme un gamin de dix ans, prodigieusement riche sans avoir un sou, parlant de théologie à ses généraux et de guerre à ses archevêques, ne lisant jamais, mais instruit par ceux à qui il parle, avide de tout comme un enfant et capable de se passer de tout comme un grand homme. Quelle serait sa magie? Du génie, du génie et encore une fois du génie!"»

Kozine secoue son verre.

«Il a tapé dans le mille, ce Ligne! C'est Potemkine tout entier, en bloc, avant que ces charognards de biographes ne le débitent en mille petits Potemkine – avares, capricieux, fanfarons, libidineux. L'homme n'est homme que quand il est complexe. Et si l'on cherche à le simplifier, on arrive à ces schémas à la con : des gentils citoyens et des ennemis du peuple… J'ai voulu, un jour, filmer l'un de ces personnages complexes, un potentat d'Asie centrale, on m'a vite bâillonné! Et depuis, ces gardes-chiourmes du CEAC me font… Bon, je te raconterai cela après. Quant à Potemkine… Il visait autre chose que la richesse et le pouvoir. Il possédait autant de terres que les rois d'Europe, les fêtes dans son palais de Tauride éclipsaient Versailles. Des jardins tropicaux sous le ciel du Nord, des gondoles de Venise, des vases où ses maîtresses puisaient des diamants, la Crimée qu'il a offerte à Catherine en cadeau d'anniversaire... Et il meurt au milieu d'une steppe – dans ses poches même pas deux kopecks pour lui fermer les paupières! Son génie, c'était d'atteindre le sommet, en gagnant à tous les jeux terriblement compliqués de notre farce humaine, et, à la fin, devenir infiniment simple – un homme étendu dans une plaine nue sous un ciel d'automne...»

Il a parlé trop fort, couvrant les bruits du restaurant. Les gens se sont retournés, moqueurs ou renfrognés. Oleg se hâte de chuchoter un toast:

«Allez, à Potemkine!»

Kozine boit, absent, le visage tiraillé par des visions qui naissent et s'estompent en lui. Puis il conclut:

«De lui, notre flicaille cinématographique ne tolérera que la débauche et sa grande gueule de satrape. Et les villages Potemkine, bien sûr! Nous serons obligés de le sacrifier. Même ton Lourié n'y pourrait rien...

– Lourié parlerait de Pétouchkov...

– C'est qui celui-là?

– Un jeune adjudant qui devait, un jour, recueillir la signature de Potemkine. Dans l'antichambre du prince, une foule de notables attend depuis des heures. Potemkine est plongé dans l'une des noires dépressions qui suivent ses excès. Il se prélasse en peignoir, morne et mal rasé, refusant de vaquer aux affaires de l'État. Pétouchkov, téméraire jusqu'à l'inconscience, bouscule les ministres, repousse les laquais, va droit au prince, se présente, lui tend les papiers à signer. Ébahi par tant de culot, Potemkine reste muet, hésite, puis prend la plume... Pétouchkov retourne dans l'antichambre en triomphateur. "Signé!" Tout le monde veut voir les augustes paraphes... Et c'est alors qu'un rire homérique éclate! Sur tous les documents, on voit marqué : "Pétouchkov", "Pétouchkov", "Pétouchkov"...»

Ils quittent le restaurant avec le sentiment à la fois amusé et grave de lutter contre une machine invisible qui, dans leur pays, veille à chaque mot.

«Aujourd'hui, on enverrait Catherine au goulag!» murmure Kozine en serrant la main d'Oleg.

Le vent nocturne apporte la senteur du granit froid, de la mer proche. L'ivresse se dissipe, cédant à l'enivrement des idées que leur film va défendre.

À la maison, Dina, déjà couchée, est en train de relire son rôle. «Demain, pour moi, c'est le dernier jour, lui annonce-t-elle. D'après le scénario, j'ai cinquante ans et je dois virer un amant infidèle, ce cochon de Korsakov!»

Oleg s'endort, ne parvenant pas à effacer un sourire de ses lèvres : l'impératrice ronflote doucement, serrée contre lui.

Leurs corps se dessinent à travers la vapeur. Dans les Bains maures, le postulant, le jeune Korsakov, est testé par la comtesse Bruce, « madame l'éprouveuse », comme l'appelle Catherine. Il est grand, fort, a des épaules noueuses de muscles. La comtesse, d'une beauté gracile, gagne à ce contraste. Une petite brune, à la complexion de gymnaste, cuisses élancées, seins fermes et ronds. Sa chevelure est relevée en panache, un collier d'ambre souligne sa peau bistrée.

Des faits historiques : Bruce testait la vigueur charnelle du candidat. Sans pouvoir se permettre le moindre égarement… La comédienne réussit un jeu ambigu entre la séduction et le refus. Elle s'offre, se laisse enlacer, puis se dérobe. Soudain, son attitude change : elle continue à exposer sa chair en appât, à minauder, à serrer le sexe de l'impétrant, vérifiant sa force… Leurs corps poursuivent ce manège entravé, tandis que leurs regards s'éclairent d'un reflet tendre et peiné… Enfin, le jeu s'interrompt, comme s'ils venaient de découvrir un sens caché à leur nudité, à leurs étreintes...

Le tournage reprend : Korsakov devient l'amant de la comtesse Bruce. Catherine, renseignée par les agents de Potemkine, dissimule sa colère sous un dédain moqueur, expulse les amants à Moscou. Ils sont juste bons à croupir dans l'ennui asiatique de l'ancienne capitale. Kozine s'acharne sur Dina, lui faisant rejouer dix fois la tsarine trompée. Catherine apprend la trahison : « Ce jeune homme se prend pour un sultan... » Elle reste seule, le carrosse de son favori longe la Neva, disparaît... À l'énième reprise, Dina est sur le point de craquer. Oleg en veut à Kozine car le jeu est excellent : la jalousie, l'aigreur, la haine se muant en dédain. Que peut-on imaginer de plus ? Les lèvres de Dina tremblent, un éclat fluide scintille sur ses cils... Kozine hoche la tête. Catherine vient de devenir telle qu'il l'a rêvée.

La nuit, Oleg surprend Dina à pleurer dans son sommeil. Elle qui ne sait que rire et blaguer... Une jeune femme qui a vieilli de trente-cinq ans en deux mois de tournage. Et qu'il a aimée d'un âge à l'autre.

« Mieux, j'ai aimé une Catherine plus vraie que nature ! L'art est le concentré du réel. Gorki l'exprimait à sa façon : le fer dans un roman est plus ferreux qu'en réalité. Oui, Dina a été plus Catherine que la tsarine elle-même ! »

Il sourit, scrute ce profil au front légèrement bombé. Le souffle de Dina devient une plainte. Il glisse sa main dans la chevelure de la jeune femme – le mauvais songe va être chassé par la venue d'un chevalier sans peur ni reproche…

C'est ainsi que les comédiens font naître en nous des rêves intensément vrais. Comme l'acteur qui joue Potemkine. Il vient au tournage en métro, fume des cigarettes bon marché puis, sous l'œil de la caméra, se transforme en un seigneur hautain, en un amant blasé. À chaque minute du jeu il est le condensé de Potemkine ! Nous sommes bien plus ramifiés que ce petit moi auquel nous nous agrippons. Le moi des comédiens, moins adhésif, a la capacité de migrer d'un personnage à l'autre. C'est pour cela que les artistes sont si égocentriques. Ils doutent de leur propre identité.

La force de ce « fer ferreux » de l'art tient aussi aux dialogues peu bavards que Kozine impose dans le film. Grigori Orlov veut forcer Catherine à l'épouser. C'est lui qui l'a mise sur le trône ! La tsarine sait que, mariée, elle perdra tout pouvoir. Orlov finit par l'obliger à présenter le projet de mariage au Conseil d'État. Le chancelier Panine se dresse et d'une voix ferme déclare : « L'impératrice est libre d'épouser le prince Orlov. Mais Madame Orlov ne sera jamais notre impératrice. » Il rejette fièrement la tête et sa perruque marque une trace de poudre sur la boiserie du mur. Un membre du Conseil s'approche, presse son front contre cette tache blanche. Les autres l'imitent, à la manière d'un serment…

Si l'Histoire peut être ainsi mimée, a-t-elle ce sens grave qu'on lui attribue? Elle n'est peut-être qu'un décor où se jouent guerres, complots, drames d'amour, mariages de tsars, effacement de gloires.

Le lendemain, leur tournage marque le pas: l'actrice est-allemande a été retenue à Berlin («En compagnie de Marlon Brando, sans doute!» plaisante-t-on sur le plateau). En attendant, on décide de «faire jouer les gosses» – Alexandre et Constantin, petits-fils de Catherine. La tsarine leur confectionnait elle-même des salopettes. Kozine voudrait la montrer une aiguille à la main.

Les comédiens se sentent en villégiature et l'endroit s'y prête: on est loin de Leningrad dans cette aile du palais de Peterhof, dans son grand parc. Le temps est encore estival, les princes et les ministres enlèvent leurs perruques et s'en vont se baigner dans le golfe de Finlande: «Écoute, Kozine, si ta Marlene Dietrich arrive, le temps de la grimer, on sera de retour!»

Le tournage a ce côté «colonie de vacances»: la troupe qu'on emmène dans un car, les comédiens qui se chamaillent comme des gamins, des costumes égarés, des erreurs cocasses – ce bandeau que Potemkine le borgne met, par mégarde, tantôt sur son œil gauche tantôt sur son œil droit...

Dina passe pour dire au revoir à l'équipe. Kozine lui parle des scènes qu'il faudra reprendre, trois petites séquences, dit-il. « Oui, je sais, les trois guerres russoturques ! » rit-elle. Pour elle, c'est la fin du tournage, et ce départ de la « jeune Catherine » augmente l'impression de fin des classes.

« Et si on prenait un bateau ? Tout de suite, comme des touristes ! »

Dina entraîne Oleg qui pensait rentrer à Leningrad par train. Ils courent vers l'embarcadère, attrapent la dernière navette de la journée. Sur le pont, juste ce petit groupe – des retraités, tout émoustillés d'avoir surpris, de loin, le tournage d'un film : « des aristocrates d'autrefois en habits cousus d'or ! ».

Le bateau longe une plage où s'ébrouent ces « aristocrates d'autrefois »...

« L'Histoire, un plateau de tournage », se dit Oleg, se rappelant ses pensées nocturnes. Il a envie de l'expliquer à Dina, pour la sortir de son inconscience enfantine.

« On devrait placer la caméra sur ce bateau, murmure-t-elle. Un décor tout fait... » Elle a parlé la première, comme si elle avait deviné ce qu'il allait lui dire. « Et ça, c'est aussi du cinéma. Enfin, un film d'absurde... »

Sur la rive, un long bâtiment industriel, décoré de lettres électriques : « Les plans du Parti sont les plans du peuple ! »

Dina rit, Oleg l'imite, tièdement. Non, elle n'est pas cette jeune femme un peu sotte – telle qu'il l'a toujours imaginée avec un vague sentiment de supériorité.

« Si tout ça est illusoire, Dina, à quoi servent nos films et ton rôle de Catherine ? Une singerie de plus ? »

Elle sourit, avec une tendresse penaude.

« Non... Mais quand on est comédien, il faut déjà commencer par bien jouer ce monde faux...

– Oui, singer ces Potemkine ou Orlov qui jouaient aux grands hommes. Jouer la tsarine qui jouait à la Sémiramis... »

Dina agite le bras, lui donne une petite tape sur le front.

« Pardon, j'ai tué un moustique... Oui, tu as raison... Sauf que... Si l'on réussit à bien incarner ces êtres faux, nous voyons ce qui se cache au-delà...

– Et ce mystérieux "au-delà", c'est quoi ? Le divan d'un psy où il faudrait coucher Catherine ? Je ne vois pas... »

Ces questions lui viennent du dépit d'avoir laissé Dina dire ce qu'il ne parvenait pas à définir lui-même. Elle lui répond avec une note de mélancolie inhabituelle :

« C'était juste une façon de tracer la frontière. Notre vie, ce film, ces néons sur la façade... Et au-delà de tout cela… Une soirée de septembre, ce dernier bateau… Imagine une femme qui marche le long de la mer, là, sous les arbres, elle est seule, elle voit cet horizon gris de la Baltique, elle est l'impératrice d'un immense pays et aussi tout simplement une femme qu'un homme vient de quitter. Une femme qui, dans cet instant-là…»

La sirène d'un paquebot remontant la Neva résonne avec une puissance enveloppante. Les paroles de Dina s'y noient, ses lèvres disent une vérité effacée.

Le café où elle l'emmène est décoré de bouées de sauvetage, de modèles de navires – le port n'est pas loin. Ils commandent des cocktails aux noms tout aussi marins : des «Caribéens», des «Arctiques»… En fait, de la vodka colorée de liqueurs. «Une illusion de grand large…», murmure Dina, et ils rient, heureux de retrouver leur insouciance.

Entre deux pouffements, son amie confie avec un sourire peiné :

«J'en ai marre de ces pensées graves que nos amis intellos remâchent. Ils détestent les vieux cons qui gouvernent le pays, ça se comprend – la censure, le flicage… Du coup, ils deviennent même plus barbants que les membres du Politburo! Ils prêchent contre le régime, mais c'est encore un prêche… Moi, j'ai juste envie de respirer, sans trop réfléchir, et tant pis si c'est une illusion… À ta santé et à la fin de mon bagne!

Tu crois que c'était drôle de jouer la Catherine que Kozine a fantasmée?»

Ils boivent, s'embrassent, restent un moment front contre front. Oleg a enlevé ses lunettes et sa vision de myope distingue les ridules de ce visage aimé. Dina s'écarte, sourit: «Je n'ai plus mon beau maquillage de tsarine...»

La nuit, dans l'amour, ils sont légers comme des comédiens qui font les fous après le tournage. Dina est dans son élément – une vie vécue en bal masqué, en frivolité blagueuse. «Attends, je vais te montrer comment Catherine se donnait à Orlov. Ah, ah...» Elle se jette sur Oleg, simule une pâmoison érotique. «Et maintenant, avec Potemkine...»

À la fin, ils forcent un peu cet enthousiasme charnel. Dina s'endort au milieu d'une caresse, de cette caresse que l'homme, las, se sent obligé de prolonger. Ce petit vide triste est dû, Oleg préfère le croire, à leurs discussions: illusion, vérité, impossibilité de se faire comprendre. Toute son enfance a passé à l'ombre d'une angoissante illusion – la maquette que son père construisait en espérant on ne sait quelle révélation...

Dina pousse un geignement, s'éveille, demande pardon.

«J'étais dans un palais. Je marchais à travers les couloirs, je poussais les portes... De larges baies vitrées, beaucoup de lumière... Et aucune issue! C'était

affreux… Depuis le début du tournage, j'ai cette idée
en tête : Catherine n'a jamais pu partir ! Si, elle a voyagé
– sur la Volga et en Crimée. Mais elle n'a jamais quitté la
Russie, elle est restée dans son empire comme dans une
prison. Ses courtisans lui écrivaient de Paris, de Rome,
de Venise… Je n'arrive pas à l'imaginer marchant, un
matin, dans les rues d'une petite ville italienne. En fait,
aucun homme ne lui a jamais proposé de partir… »

La première matinée de gel a redessiné le parc. Oleg est venu avant toute l'équipe, avant la clarté du jour, et ce froid blanc l'hypnotise – comment reconnaître, sous le givre, leurs repères : bosquets, allées, cours d'eau ?

La veille, Kozine lui a demandé de préparer les plans qu'on allait filmer – des scènes dont il faudrait anticiper le tournage car la comédienne est-allemande, la « vieille Catherine », n'est toujours pas arrivée. La tâche semblait simple : choisir les endroits où les petits-fils de la tsarine, Alexandre et Constantin, grandis entre-temps de plusieurs années, jouaient, pêchaient avec un filet, bûchaient du bois…

Il les a imaginés sous un soleil d'été – difficile, à présent, de les revoir batifoler sur ces talus glacés. Deux princes éduqués selon les préceptes philosophiques du siècle, de petits voltairiens dans un cadre rousseauiste. Alexandre est promis à la gloire d'un monarque éclairé. Constantin (un nom prédestiné !) occupera le trône de

Constantinople : l'enfant a eu une nourrice grecque
– pour aspirer, avec du lait, le grand rêve byzantin…
En attendant, ce sont deux garçonnets remuants qui
mélangent le russe et le français, se passionnent pour
les défilés de la garde et jouent avec le favori de leur
exubérante grand-mère.

Cette matinée blanche empêche Oleg de penser à l'agitation des jeux, aux échos des rires… Sa mémoire trace
la suite des deux vies d'enfants. Alexandre : adolescent
rêveur, jeune homme plein de projets humanistes pour
son empire et aussi le traître qui, en 1801, laissera les
comploteurs tuer son père, Paul Ier. Guerre contre
Napoléon, défaites, Moscou incendié, victoires, Paris
conquis par les cosaques, une vie saturée de galantes
aventures et minée par la culpabilité envers le père qu'il
n'a pas voulu sauver. Constantin : enfant gâté se muant
en soudard capricieux, en potentat méprisant. Beuve-
ries, tabassages de soldats et de civils, viols, meurtres…

« À quoi bon tout ça ? » Oleg se surprend à chuchoter la question. Deux gamins qui jouent, deux adolescents qui rêvent, deux hommes qui mènent des guerres,
mentent, trahissent, tuent… Et puis, plus rien ! Cette
plaine argentée, l'or des feuilles sous la glace, la buée de
sa respiration. Rien d'autre. « À quoi bon alors tout ça ? »

Au loin, sous une rangée de vieux arbres, un trait
sombre, d'abord indistinct, ensuite adoptant la cadence
d'un marcheur. Un ouvrier, à en juger par son bleu de

travail, un plombier qui vient protéger du gel les jets d'eau. Plutôt une ouvrière – des cheveux librement tressés dans une natte, un sac porté à l'épaule, cet habit bleu… Non, c'est un jean, une veste, un pantalon et ce foulard autour du cou. Une touriste égarée?

La femme s'approche, sourit, un peu confuse: «Je cherche Mikhaïl Kozine… Ou quelqu'un de son équipe. Je suis bien à Peterhof, n'est-ce pas?»

L'accent est perceptible – la dureté sourde des consonnes. Mais la surprise est telle que le nom de l'inconnue («Eva Sander», se présente-t-elle) ne parvient pas à coïncider avec la personne attendue. La «vieille» Catherine II… Les comédiens avaient imaginé la venue d'une star: un jet privé, la mitraille des flashs… Et pour expliquer son retard, on rivalisait de fantaisies goguenardes: «Son avion a été détourné aux Seychelles… Elle préfère jouer Cléopâtre à Hollywood…»

À présent, il y a cette femme, un visage pâle et légèrement anguleux, ces grands yeux gris qui reflètent la blancheur des arbres et la lumière mate du ciel.

Il la renseigne et, à l'écart de la conversation, très profondément en lui, résonne la langue dont l'ombre sonore lui est perceptible dans les paroles d'Eva. L'allemand, dans lequel, tout jeune, il a entendu sa mère parler, ou plutôt chanter au-dessus de son lit d'enfant.

«Je peux parler allemand si vous voulez», propose-t-il.

Elle rit doucement :

« Il ne faut pas que j'oublie mon russe. Catherine a fait tant d'efforts pour l'apprendre… Vous voudriez un café ? J'ai un thermos… »

Ils traversent le parc. Le silence rappelle une soirée d'hiver. Au tournant d'un sentier, Oleg découvre une voiture étrangère dont la couleur grise, teintée de givre, fait penser à du velours usé. Il se souvient d'avoir vu ce modèle de break dans un film des années soixante. Ils s'installent comme pour partir. Eva laisse la portière ouverte. La senteur du café se mêle à l'amertume de l'air…

« Il est moins fort que celui de Catherine, dit-elle. Un de ses favoris qui voulait goûter à son breuvage a eu une syncope, paraît-il. Faites attention quand même, ce café m'a tenue éveillée pendant toute une nuit… »

Elle sourit et son regard trahit cette fatigue nocturne et le reflet d'une route filant à l'infini sous le halo des phares.

« Vous arrivez de Berlin ? »

Oleg croit savoir la réponse et se traite d'idiot de ne pas pouvoir éviter ces banalités.

« Non… J'étais en Italie. Je pensais être là à temps pour le tournage. Mais on sous-estime toujours la vigilance des douaniers des pays frères. À la frontière polonaise, c'était déjà interminable. Et puis, pour entrer sur le territoire soviétique… J'aurais dû, avant, tourner dans un James Bond ! »

L'humour est le mot de passe pour ceux qui habitent de ce côté-ci du mur de Berlin.

À l'entrée du parc s'arrête un minibus transportant de Leningrad les acteurs les plus âgés, tous ces «chanceliers chancelants», comme dit Dina. Et quelques douairières qui, telles des pièces de musée, représentent dans le film les vestiges de l'époque de Pierre le Grand. L'une d'elles descend péniblement, soutenue par Kozine.

«J'espère que votre réalisateur ne m'a pas remplacée par cette dame dans le rôle de Catherine. Bon, je vais lui présenter mes excuses de piètre automobiliste. Les hommes aiment entendre dire que les femmes sont nulles au volant...»

Ils vont à la rencontre des autres et déjà comme à travers la somnolence qui la rattrape, Eva murmure : «Par cette journée de gel, il faudrait laisser la tsarine coudre tranquillement des salopettes pour ses petits-enfants...»

Cette première rencontre réunit tout ce qu'il observera pendant le tournage où travaillera Eva Sander. Elle restera simple, très peu star, provoquant même chez les comédiens une vague déception : on l'imaginait dans une limousine, au côté d'un héros hollywoodien ! Oleg percevra le détachement qu'elle dissimulera sous l'énergie de son jeu, ces moments où, présente, elle ne sera pas là. Il saura, seul, revoir en elle cette inconnue qui marchait sous les arbres blanchis par le givre.

Le candidat Mamonov est chargé par Potemkine de remettre à Catherine une aquarelle : un paysage bucolique. Il rapporte un jugement ambigu. « Le dessin est joli, mais les couleurs, médiocres », a écrit l'impératrice au verso de la feuille. Ce Mamonov, d'origine kalmouke, a une peau jaunâtre. Potemkine est prêt à chercher un autre homme quand Catherine vient le rassurer : le dessin (la musculature, la vigueur physique…) est exceptionnel, oublions les « couleurs » – cette carnation d'Asiate.

Oleg a vérifié : plusieurs récits historiques confirment l'astuce de l'aquarelle.

C'est la première scène où joue Eva Sander. Elle impose un style très professionnel dans son dépouillement. « Économie de gestes, note Oleg. Effets de voix maîtrisés. Au lieu d'une concupiscence de vieille débauchée, juste le frémissement des narines – une louve flairant la proie… »

Deux ou trois fois, Kozine répète son signe d'approbation : un fil dans le chas d'une aiguille. Puis abandonne ce geste. Eva donne l'impression non pas d'interpréter un rôle mais de raconter ce qu'elle a vécu. Souvent, elle propose de refaire une séquence quand un détail la contrarie ou quand un comédien n'a pas obtenu son « fil et aiguille ».

Oleg essaie de traduire en paroles d'admiration ce que Kozine exprimerait s'il n'était pas bègue : « Gorki parlerait du fer ferreux. Oui, vous êtes une Catherine puissance dix ! »

Eva répond avec froideur : « Je suis juste la Catherine que vous avez imaginée. Je ne joue que cette Catherine-là. »

Il a mal choisi le moment : on va filmer la tsarine qui pénètre dans l'alcôve où l'attend Mamonov – ce corps d'une virilité écrasante, brutale. L'étreinte est rythmée par la sarabande des miniatures érotiques sur les murs. Le souffle des amants se mêle à une voix off – une lettre de Catherine où elle parle de Mamonov : « … un cœur excellentissime joint à un grand fonds d'honnêteté… une éducation admirable… un penchant pour la poésie… ». On voit les gros bras de l'homme, leur effort rude, leur force laide. Et une femme, cette Catherine vieillie qui offre son corps – un corps toujours beau mais trahissant une grande fragilité – à un jeune amant, assez grossier dans sa façon de la posséder, la pliant à son plaisir, la repoussant après la jouissance.

La scène est claire (le sexe et le pouvoir) et pourtant cette nouvelle Catherine ressemble, plus qu'auparavant, à une femme qui espère encore être aimée…

Absorbé par cette pensée, Oleg ne voit pas Eva qui quitte le plateau et vient vers lui. Elle doit regretter son ton cassant de tout à l'heure. «Très bonne idée, ces fresques érotiques dans l'alcôve! Elles m'ont épargné le sumo charnel avec Mamonov. Le partenaire de Marilyn dans *Some Like it Hot* disait que la couvrir de baisers était une corvée comparable à celle d'embrasser Hitler. Avec Mamonov, vu sa corpulence de mammouth, il s'agirait plutôt de Goering… J'ai relu le scénario. Surtout vos notes, en marge. Incroyable tout ce que vous savez sur Saint-Pétersbourg! Il y a deux ou trois endroits que je voudrais absolument voir…»

Leurs errances s'écartent rapidement du centre-ville. Eva semble s'intéresser aux quartiers reculés qui, du temps de Catherine II, étaient couverts de forêts. Oleg l'y emmène sans trop comprendre ce qu'elle trouve de passionnant aux bâtiments industriels et aux canaux souillés d'hydrocarbures.

Un soir, au nord de la ville, ils se retrouvent dans un lacis de routes et de voies ferrées qu'il connaît bien – l'immeuble-rocher de son enfance n'est pas loin.

«Drôle de circuit pour une touriste, dit-il. Si vous étiez une Allemande de l'Ouest, le KGB nous prendrait vite en filature. On a tourné chez nous plein de films sur cette trame: une Occidentale qui se dit amoureuse de l'architecture russe et qu'on voit rôder aux portes d'une usine d'armement...»

Eva sourit, relève le col de sa veste pour imiter une espionne.

«Oui, je sais... Dans ma jeunesse, j'ai joué dans un film de ce genre. Une ouvrière surprenait un ingénieur, un traître à la patrie socialiste, en train de photographier un bidule ultrasecret fabriqué par leur entreprise...

– Bon, comme nous n'avons pas d'appareil photo...

– Mon père en avait un quand il venait dans ces quartiers.

– Votre père? À Leningrad?»

Eva accélère le pas, donnant l'impression de vouloir, réellement, déjouer une surveillance. Sa voix se fait anonyme. Soudain, Oleg se rend compte qu'elle parle en allemand.

«Pendant la guerre, mon père a passé deux ans à faire de la reconnaissance aérienne au-dessus de Leningrad. Il ne pilotait pas, il photographiait. Suivant ses renseignements, la Luftwaffe bombardait la ville... À la fin de 1943, il a été fait prisonnier par une unité soviétique. On l'a employé comme maçon sur les chantiers de la ville qu'il avait observée de son avion. Libéré, il s'est installé en Allemagne de l'Est, à Rostock dont il était originaire. Sa conscience était tranquille : il n'avait pas participé aux massacres. Son travail de photographe avait été propre, technique... Il a repris le même boulot après son retour et jusqu'à sa retraite a produit des milliers de clichés utiles à l'industrie du pays... Jeune, j'ai fait de ce père un mélange d'Hitler et de berger allemand. Notre génération avait besoin de ces têtes à claques symboliques... Il est toujours resté calme face à ma colère. "J'étais soldat, j'ai obéi aux ordres, je n'ai tué personne. J'ai travaillé quatre ans durant à la reconstruction des villes russes. J'ai travaillé toute ma vie pour le bien de la RDA..." La pire caricature d'un Allemand : un robot aux ordres d'autres robots... Un an avant sa mort, nous nous sommes rapprochés, il était malade et sa seconde femme, plus jeune que lui, l'avait quitté. Depuis un moment déjà j'avais cessé de voir en lui un criminel de guerre. C'est lui qui a reparlé de ce passé. "Tu avais raison, j'ai été un robot... Mais un jour, j'ai... désobéi. De mon avion, j'ai vu un nœud ferroviaire, des convois où montaient des enfants et des vieux, certainement pour être évacués. J'avais l'obligation de photographier l'endroit, je ne l'ai pas fait. Ce lieu n'a pas été bombardé... Je ne suis jamais revenu en URSS. J'aimerais beaucoup revoir ce quartier-là..." »

Ils enjambent les rails, longent un canal. Eva sourit :

«Vous connaissez, maintenant, le but de mon espionnage...»

Cinq minutes plus tard, ils montent sous les combles
de l'immeuble-rocher. La soirée est claire et par le vasistas de la mansarde, on voit bien le bâtiment de la gare,
les dépôts, les trains immobilisés... Eva passe un long
moment à observer ces lieux tristes qui ressemblent à
une vieille photo en noir et blanc. Puis elle se tourne
vers la maquette du palais qui occupe un bon tiers de
la pièce...

Oleg découvre que cette vie ancienne dont il
commence à parler en allemand ne l'étouffe plus par
la douleur de chaque mot.

Les jours suivants, après le tournage, ils reprennent
leurs marches, revenant vers la ville que Catherine voyait
et dont, pour une large part, elle a initié la construction.
Un Saint-Pétersbourg que l'œil doit extraire des couches
architecturales postérieures – comme on extrait des
cristaux dans l'épaisseur d'une roche... Eva connaît bien
ce dix-huitième siècle cristallisé. Oleg découvre même
quelques «mystères de Saint-Pétersbourg», comme
elle dit en souriant: «Au numéro neuf, c'est la maison
du prince Narychkine. C'est là où logeait Diderot...»

Pourtant, le vrai mystère est de rester simplement
dans l'un de ces lieux, oubliant le prestige historique, ne
percevant plus, comme à présent, que la lumière cuivrée

d'automne sur le granit du petit canal des Cygnes, sur des immeubles qui paraissent inhabités. Demeurer là, ne pensant plus à l'impératrice, imaginant juste la femme qui traversait cette passerelle, deux siècles auparavant, par une soirée d'octobre, transparente et fraîche, dans la senteur amère de la Baltique.

« Heureusement qu'elle a l'âge d'être ta mère, sinon je serais morte de jalousie ! » Dina grimace, simulant une tragédienne plongée dans les affres d'un amour trahi. Puis elle éclate de rire. « En plus, cette Sander est trop grosse. On dirait une vieille cantatrice. Non, je dis des conneries. Après tout, elle n'a que trente-huit ans. Et surtout elle est obligée d'être gironde – Catherine s'est beaucoup enrobée vers la fin de sa vie. Jeune, la tsarine était comme moi : taille de guêpe, teint de lys. J'ai lu qu'en arrivant en Russie, elle se moquait de l'impératrice Élisabeth : "Ses seins débordent des pièces de monnaie où elle est gravée." Sauf qu'avec l'âge, Catherine l'a rattrapée… »

Il y a un mois, Dina s'est vu proposer le rôle principal dans une pièce de théâtre – elle joue une révolutionnaire excédée par la couardise de ses camarades. Le caractère est ardent, brutal – il déteint sur Dina. Même dans leur intimité, elle garde les accents de son rôle. Sa façon d'enlever son chemisier a changé – on expose ainsi sa poitrine aux tirs d'un peloton d'exécution. Oleg a parfois l'impression de faire l'amour à une femme inconnue… Et de nouveau, il est frappé de voir avec quelle facilité la vie et le jeu se mélangent, créant un monde intermédiaire où chacun interprète son moi, tout en plagiant ses semblables.

Il en parle, un jour, à Eva… Elle vient de terminer le tournage de la fête donnée par Potemkine dans son palais de Tauride en avril 1791. Gondoles, jardins paradisiaques, trois mille convives, soies, or et gemmes. Le chapeau du prince est surchargé de diamants – Potemkine s'en débarrasse, son valet de pied porte ce couvre-chef pesant, tel un reliquaire. Dans quelques mois, Potemkine mourra. Son intuition exacerbée l'en prévient. Au plus fort des festivités, il éclate en sanglots, s'agenouille devant la tsarine – celle qui a fait de lui plus qu'un tsar, celle dont il a fait la Grande Catherine…

Le soir, Oleg revoit Eva. Surpris par une pluie, ils se réfugient dans un café – « un café soviétique », dit-elle, trouvant touchante la pauvreté de l'endroit, si différent des restaurants de la Nevski. Ils citent les victuailles dont se gavaient les invités de Potemkine, évoquent ses sanglots. « Du cabotinage ! » tranche Oleg. « Du cabotinage inconscient, devenu sa seconde nature ! réplique Eva. D'où vient chez les Russes cette passion pour le jeu ? »

Oleg perçoit dans le ton d'Eva une timide distance : d'un côté les Russes et, de l'autre, elle et lui, les Allemands. Il tâche de gommer cette distinction :

« Ce jeu n'est pas une lubie exclusivement russe… À la cour de Catherine, tout le monde écrivait du théâtre. Et tout le monde y jouait : Poniatowski, Orlov, Ségur… La France a contaminé les Russes avec ses alexandrins. La tsarine elle-même a rédigé plusieurs pièces. Plus aucune frontière entre vivre et jouer à la vie. Tenez, Potemkine a essayé tous les rôles : magnat, moine, débauché, lecteur de textes sacrés, proxénète, auteur de lettres d'amours éthérées… Et Pougatchev, ce vrai cosaque et faux Pierre III, quel acteur !

– Oui… Mais pourquoi ce désir de changer d'identité tout le temps ?

– J'ai étudié le langage de Catherine… Ce qui est épatant c'est la fréquence avec laquelle elle employait le mot "comédie". Pour elle, tout était comédie : la diplomatie, les guerres, les simagrées de ses courtisans… Et même l'amour. Une pièce de théâtre jouée par ses amants…

– Donc, il n'y avait rien au-delà de ce jeu ? »

Ils ont la sensation de frôler une vérité bien plus profonde que les énigmes d'un règne. Oleg se souvient du seuil qu'il a déjà approché en parlant avec Lessia. « Filmer ce que Catherine n'était pas », disait-elle. Et aussi ce mot de Dina : imaginer une Catherine marchant dans les rues d'une ville italienne…

Il le dit à Eva, cafouillant un peu, traduisant tel ou tel mot en allemand.

UNE FEMME AIMÉE

«Kozine a toujours insisté sur cet arrière-jeu dans son film. Une bacchanale de favoris, la farce pompeuse de l'Histoire, les singeries mondaines et soudain – la simplicité extrême, la nudité de l'homme face au ciel... Et surtout, l'absolue impossibilité de jouer à l'amour!

– Attendez, Oleg, mais vous disiez que l'amour pour la tsarine n'était qu'un spectacle...

– Oui, une pièce qu'elle joue et applaudit à la fois: j'aime et je suis aimée! L'âge la rendra plus humble, elle citera souvent Louis XIV qui écrivait à madame de Maintenon: "Aimez-moi ou du moins faites comme si vous m'aimiez..." La vie de Catherine est passée, tout entière, dans ce "comme si".

– Donc aucun homme ne l'a aimée?»

Mentalement, Oleg parcourt le chapelet de favoris.

«Non... En tout cas, aucun parmi ceux qu'on va voir dans le film... Des aveux enflammés, de belles mises en scène érotiques, mais rien qui aille au-delà de cette comédie.»

Eva murmure, craignant peut-être de déformer par sa voix la vérité qui apparaît soudain si claire:

«Elle a vécu à la limite extrême des jeux humains, au sommet de ce que nous imaginons comme pouvoir, richesse, plaisir charnel. Cette limite était son quotidien. Donc, elle devait certainement vouloir la franchir et...

– Partir!»

Ils le disent d'une seule voix. Pour s'écarter des bruits de la salle, ils se sont rapprochés – l'espace, resserré entre eux, a changé de consistance : la densité d'une révélation partagée.

… Des années plus tard, Oleg n'en gardera que le souvenir d'une intimité naissante. Il saura même pourquoi, ce soir-là, cette tendresse ne s'est pas exprimée. « J'étais encore avec Dina. Et puis, Eva Sander était une star. Et aussi notre différence d'âge… » Des arguments sages qui consolent les hommes d'avoir manqué l'essentiel. Pourtant, il lui suffira de retrouver un simple reflet de ces jours (oui, cette lumière d'automne sur le granit du petit canal des Cygnes) pour revivre la violence de la compréhension qui les a, alors, unis. « Partir ! »

Ce qui, aussi, les empêche de se lier davantage, c'est cet accès de folie chez Kozine – sa décision subite de remanier la fin du film. D'après le scénario, on voit la vieille impératrice en pleurs : son favori Mamonov vient de la quitter… Et la Bastille tombe ! Un plan panoramique : la fumée des explosions, une foule de prisonniers libérés… Kozine appelle cette version – « un tonneau de mensonges dans une goutte de vérité, plat préféré des censeurs ».

Cela ne lui convient plus. L'action ne s'arrêtera pas en 1789 mais en 1796, à la mort de Catherine. On montrera ses derniers ébats avec les frères Zoubov et, le comble, la scène où elle s'évanouit au pied de sa chaise percée, du trône polonais installé dans ses toilettes.

Affolé, Oleg invoque le dépassement de la durée réglementaire du film, la difficulté de trouver, au débotté, deux bons comédiens capables de jouer deux mauvais amants… Mais le choix de Kozine semble définitif.

Eva accepte ce scénario remanié sans broncher. Un maquillage grisâtre la transforme en vieillarde. Sa démarche s'appesantit, ses mains tremblent, sa voix nasille. Ce n'est plus une louve qui guette une proie, c'est une vieille chienne qui halène par habitude. Kozine n'a rien perdu de son sens du détail : le miroir cachant l'alcôve s'écarte sur sa glissière avec un grincement traînant, sinistre...

« V-v-viens, o-on v-va b-b-boire un v-verre... »

Oleg le sait : une demi-bouteille d'alcool, la dose qui commence à relâcher cette parole nouée. Attablé, il se hâte de bousculer Kozine, de lui faire avouer les raisons du revirement :

« Nous avons tout fait pour éviter à la tsarine son image d'obsédée sexuelle. Et maintenant, tu exhibes une grand-mère indigne qui couche avec des freluquets de vingt ans ! Plus aucune logique dans ce film...

– Si... La vérité historique ! C'est cela que tu as toujours cherché, Erdmann, non ?

– Mais il n'y avait pas que ces coïts dans sa vie !

– Quoi d'autre ? Quelques dizaines de favoris et, à la fin, ces deux gigolos-là. Obscène ? Inesthétique ? Peut-être, mais c'est la vérité ! C'est tout ce que le monde pouvait lui offrir...

– Bon, j'ai compris : tu vas accuser d'hypocrisie l'époque, la société...

– Non, je n'accuse pas la société!
– Qui donc alors?
– D-d-dieu!»

Oleg a le temps de lancer un début de sifflement avant de se figer. Kozine a fermé les yeux, sa lèvre inférieure est blanche tellement il l'a mordue. «Un accès de folie», pense Oleg. Pourtant l'accusation vise juste: non pas ce «D-d-dieu» mais une sournoise fatalité qui, d'une femme en quête d'amour, fait cet amas de chairs qu'étreint un jeune parvenu.

«Elle n'avait qu'à…», se dit Oleg et il est surpris de voir que tout ce qu'on pourrait proposer à Catherine se limite à un mariage impérial et à la reproduction dynastique…

Kozine rouvre les yeux. Leur rougeur lui donne l'air d'un vieillard las. Oleg feint une boutade conciliante:

«Tu as raison… On n'y peut rien. Durant toute sa vie, il n'y a pas eu un seul homme prêt à l'aimer…»

Kozine souffle par saccades.

«Si! Il y en avait… un! C'était… L-l-l-l…»

Son visage est déformé par l'effort. Enfin, il sort un crayon et griffonne un nom sur sa serviette.

«Lanskoï», devine Oleg avant même que le réalisateur ait tracé la moitié du mot.

En rentrant du théâtre, Dina lui apprend qu'il y a trois ans la femme de Kozine, employée d'un institut de recherches, a été irradiée. Les derniers examens ne laissent pas beaucoup d'espoir.

Kozine a donc des comptes à régler avec ce «D-d-dieu»...

Avant l'arrivée de Dina, Oleg a relu ses notes. Alexandre Lanskoï, favori de 1780 à 1784. Peu visible dans la kyrielle des amants. Éclipsé par leur éclat. Orlov et Potemkine ont violé l'Histoire. Poniatowski a été sa victime, mais quelle victime! Même le Serbe Zoritch, favori très fugace, n'est pas passé inaperçu – joueur, matamore, aventurier. D'autres se sont illustrés par leur cupidité. Quelques-uns par leur penchant pour les intrigues. Rien de tel chez Lanskoï. Pas d'avidité pécuniaire, pas de caprices d'odalisque gâtée, pas de visées politiques. Catherine l'encense dans ses lettres – mais elle l'a fait avec tous ses hommes, y compris avec le borgne et balèze Potemkine. L'unique différence: après Lanskoï, elle met beaucoup plus de temps avant d'engager un nouveau compagnon. La raison en est simple: en juin 1784, le jeune Lanskoï meurt, donc un semblant de deuil s'impose...

Oleg raconte à Dina cette brève vie d'ombre. Elle l'écoute distraitement puis murmure: «Sa femme... la femme de Kozine, elle l'a sauvé. Dans les années soixante-dix, il a réalisé un film sur la corruption des notables du Parti en Asie centrale... Interdit avant le montage. Il a fait un an de taule... Sa femme ne l'a

jamais laissé tomber. En plus de son travail d'universitaire, elle a accepté un poste au laboratoire de ces
machins radioactifs… Le film sur Catherine II est,
pour Kozine, une mise à l'épreuve : le CEAC veut voir
s'il s'est assagi… Ne le contredis pas trop. Ce n'est pas
le moment de fantasmer sur un homme qui aurait pu
aimer cette pauvre Catherine…»

Eva exprime le même avis : «Il faut le laisser travailler. Bien sûr, la scène finale est médiocre. Mais la prise
de la Bastille en carton-pâte n'était pas mieux. Oui, "un
tonneau de mensonges dans une goutte de vérité"…»
Ils marchent, glissant sur le grésil qui blanchit les
trottoirs. Eva vient de terminer les deux dernières
séquences : Catherine dans les bras de Zoubov et son
agonie au pied de la chaise percée. Du grotesque, du
macabre, des petits locaux clos, l'étouffement, le perfec-
tionnisme sadique de Kozine… Elle respire l'air froid
venant de la Neva, offre son front aux cristaux de
glace.
«Plus que jamais je me suis sentie proche de Catherine, dit-elle avec un sourire triste. Le tournage devenait
une torture et je me disais : finalement, c'est ce qu'elle a
vécu. Sauf que je peux enlever ma crinoline et *good bye*!
— Elle aurait pu dire *good bye* en russe, chasser ce
crétin de Zoubov et vivre un peu plus en accord avec
son âge…

– Oui… Elle n'avait qu'à mourir en chantonnant, c'est ça ? On oublie que c'était une femme. Ségur l'appelait "cette femme grand homme" et Ligne – "Catherine *le* Grand". Comme si tout ce qu'il y avait de grand en elle provenait de sa virilité cachée…

– C'étaient de beaux compliments ! On soulignait sa forte personnalité, sa singularité…

– Sa solitude surtout. Oui, une femme très seule avec, à ses côtés, deux espèces d'hommes : des brutes qui la traitaient en femelle et des jouvenceaux pour qui elle devenait la bonne maman. Et quand elle voulait être juste une femme aimante, on parlait de ses "fureurs utérines", de son "vagin insatiable"… On guettait, en elle, le moindre signe de vieillissement. À la première ride, haro ! "Sa poitrine s'affaisse", "les amples habits russes ne dissimulent plus l'épaisseur de ses hanches", et autres gracieusetés…

– Les biographes ne sont pas plus tendres avec les hommes, Eva…

– Peut-être… Mais dites-moi, que signifie le mot "courtisan" ?

– Euh… c'est un homme de cour…

– Et une "courtisane" ?

– Disons, une femme aux mœurs… légères.

– Une pute, quoi. Et un "homme à femmes", comme Potemkine ?

– Un séducteur ?

– Et une "femme à hommes" ?

– Eh oui… Une traînée.

– Un "homme public" est une célébrité et une "femme publique" est fatalement une salope… La langue trahit toujours les lois de ce monde. Et notre "Catherine *le* Grand" n'y pouvait rien, car ces lois ne prévoyaient pas son cas à elle : une femme qui cherchait à être aimée. Il faudrait imaginer une rencontre… Oui, un homme suffisamment étranger à ce monde-là… »

« Imaginer un homme »… L'idée jure avec le réalisme que Kozine impose au film. Les comédiens sont certains d'interpréter des faits historiques.

Ils le croient en partant pour la Crimée. L'itinéraire, Leningrad - Kiev - mer Noire, répète celui de Catherine en 1787. Oleg partage le compartiment avec « Potemkine » et « Ségur ». L'un feuillette des journaux satiriques, l'autre essaie de draguer une passagère du wagon voisin…

Leur équipée est surréaliste. Les scènes se passant en Crimée ont déjà été tournées – dans les environs de Leningrad ! La guerre russo-turque, le harem ambulant de Potemkine… À présent, Kozine a juste besoin d'un peu de couleur locale : « Nous partons en novembre, la tsarine y était en mai. Mais au bord de la mer, l'automne et le printemps se ressemblent… »

En fait, une foule d'invraisemblances qui créent l'illusion du vrai. La nature de l'art...

Au lendemain du départ, vers midi, le train s'arrête, on voit le bâtiment d'une gare, les rues vides d'une bourgade. Soudain, le bruit d'une sirène fait vibrer l'air, efface les voix, le claquement des portes des compartiments. Une minute, deux, cinq...

Le silence qui suit change la signification des gestes. «Ségur» parcourt le couloir, imitant les vendeurs de journaux: «Dernières nouvelles! Dernières nouvelles!» Et puis, baissant la voix: «Brejnev est mort!» La *Pravda* qu'il agite porte la date du 11 novembre 1982.

Le personnage était haï, raillé dans des centaines d'histoires drôles, aimé pour sa stature débonnaire. Il a incarné une époque – l'Empire soviétique finissant – et cette époque vient de s'achever. Faut-il s'en réjouir et s'en alarmer? Et qui, parmi les gérontes du Politburo, remplacera le défunt? Andropov, l'ancien chef du KGB? Et quel coup de gouvernail sera donné: vers le passé, vers Staline? Ou vers un avenir presque aussi angoissant que le passé?

Tout cela se dit, se redit, se murmure, se proclame... Oleg se laisse entraîner dans les discussions, prend plaisir à conjecturer, puis s'en lasse, s'écarte, regarde les forêts qui défilent derrière les vitres... Depuis des mois, les comédiens jouaient à l'Histoire et voilà qu'elle les rattrape.

On harcèle Eva, on attend son pronostic de Berlinoise, certes une Berlinoise de l'Est mais ayant voyagé en Europe. Elle avoue avoir égaré sa boule de cristal... Oleg lui lance un clin d'œil, ils se faufilent à travers les groupes des débatteurs, vont au wagon-restaurant.

«Au lieu de me demander de prophétiser, dit-elle, ils auraient dû se rappeler mon agonie dans le film. Catherine meurt le 6 novembre 1796. Et en deux jours, tout change. Le favori Zoubov qui terrorisait la Cour et humiliait l'héritier Paul rampe devant ce Paul Ier, implore sa grâce. Le tsar lui pardonne. Dans son pire cauchemar, il ne pourrait imaginer que, cinq ans plus tard, ce même Zoubov sera parmi ses assassins! Après cela, bien malin qui scrutera le marc de café...»

... Quelques années passeront et Oleg se souviendra de ce déjeuner avec Eva. L'URSS n'existera plus, le mur de Berlin sera tombé. Et quand il essaiera de définir ce qui n'a pas changé depuis, il reverra le reflet argenté des champs, la lumière d'automne dans les forêts nues et la tendresse de ce regard – une femme qui, en souriant, parlait du marc de café...

«Je voudrais vous montrer mes vieilles cartes», dit Eva au moment où ils quittent le wagon-restaurant.

Une douzaine de feuilles de papier rêche qu'Oleg

étale sur sa couchette. La partie européenne de la Russie, la Pologne, la Prusse, le Brandebourg, le nord de l'Italie. L'Allemagne n'est encore qu'un confetti de principautés, l'Italie – un tissu rapiécé. L'Europe de la fin du dix-huitième siècle...

Le soir, dans le wagon des comédiens, l'atmosphère se réchauffe. Un deuil pareil, ça s'arrose... Oleg retrouve Eva sur la plate-forme, au bout du wagon, le dernier du convoi – Kozine a réussi à loger sa troupe dans cette voiture-là, pour éviter le passage des curieux. Eva se tient tout à l'arrière, d'où l'on voit les rails se dévider, les voies se dédoubler aux aiguillages, s'unir de nouveau. Le wagon tangue et les bourrasques de neige augmentent cette sensation de houle.

Ils restent sans parler, hypnotisés par l'envol virevoltant des brassées blanches. De temps en temps, une porte claque, on entend des rires éméchés.

« Pourquoi avoir accepté de jouer dans ce film ? »

C'est à ce moment qu'il peut l'interroger aussi abruptement. Toute une époque est prête à chavirer !

Elle répond sans détourner son regard du fouettement neigeux au-dessus des rails :

« À mes amis, à Berlin, je disais ce demi-mensonge : ô, le cinéma soviétique, grande tradition, Eisenstein, Poudovkine et compagnie... Mais à vous, je n'ai pas besoin de mentir. Ce qui m'intéresse, c'est de voir comment Kozine va échouer...

– C'est un peu maso de jouer en pensant à l'échec…
– Je ne parle pas de l'échec auprès du public. Le film va plaire, j'en suis sûre. Mais c'est secondaire. La vraie originalité de Kozine est dans ce constat : même si notre vie était aussi grandiose que celle de Catherine, il nous manquerait toujours l'essentiel… Je l'ai découvert à l'époque où j'étais une jeune libertaire qui voulait vivre à la limite des capacités humaines. Un jour, chez un soldeur, je suis tombée sur la biographie de Catherine II. Un dégrisement violent : je me suis sentie ridicule à côté de cette géante. Du fond de son dix-huitième siècle, elle me défiait : une féministe qui nomme la jeune Dachkova à la présidence de l'Académie – imaginez cela sous Louis XV ! Une autocrate qui exprime ses sympathies républicaines…

– Et qui propose de publier l'*Encyclopédie* en Russie…

– Oui, un très grand règne… Mais si l'on observe l'intimité de cette glorieuse existence – un désastre ! Une écurie d'amants avides d'honneurs, une vieillesse réchauffée par des godelureaux qui monnaient leurs éjaculations. Et cette agonie grotesque sous une chaise percée !

– Et rien qui échappe à ce triste destin ?

– Ce destin n'a rien de triste – il est prodigieux ! Toute jeune, j'ai compris que je ne vivrais pas le millième de ce que Catherine a vécu en matière de célébrité, de richesse, de plaisirs. Même avec plein d'amours et de grands films à mon actif, je ne serais que peu de chose à côté d'elle. Pendant une quinzaine d'années, j'ai réussi à l'oublier. Et puis, un jour, j'ai rencontré l'une des descendantes de la famille Lanskoï… Âgée de quatre-vingt-dix ans, elle habitait Berlin et, un soir, nous nous sommes croisées dans une bibliothèque : je préparais mon rôle dans un film historique (vous voyez, je ne suis pas une novice) et cette dame rendait un livre… C'est elle qui m'a transmis ces vieilles cartes…

– Oui, la Prusse, la Suisse, l'Italie. Mais Catherine n'est jamais sortie de la Russie. Donc…

– … donc interdit de rêver un voyage secret ?

– Aucun fait historique ne le prouve, Eva…

– Et le périple de Paul, qui s'est fait appeler "prince du Nord" et a parcouru l'Europe en compagnie de sa jeune épouse ? Et Joseph II qui traversait le continent sous le nom de "comte Falkenstein" ? Mais surtout le petit-fils de Catherine, Alexandre I er: en 1825, il meurt, trop discrètement pour un tsar, et…

– Et réapparaît en Sibérie ! C'est une vieille légende.

– J'ai raconté ces "légendes" à un ami italien, vous devez connaître ses films, bien qu'il ait peu tourné. Aldo Ranieri. Je lui ai montré ces cartes. L'idée d'un voyage secret l'a enflammé. Nous avons écrit un scénario, mais… Vous connaissez la chanson : d'un côté du mur de Berlin, la censure est politique, de l'autre – elle est financière. Surtout qu'à ce moment-là sortait un film sur les orgies de la tsarine. Notre rêveur Lanskoï apparaissait un peu pâle face à des bodybuilders, nommés Orlov et Potemkine, qui besognaient une Catherine aux gros seins siliconés… Cet échec a eu sa part dans la mort d'Aldo, le rendant moins combatif face à son cancer… Il était d'ailleurs conscient de la faiblesse de notre projet. Dans notre script, ce voyage se réduisait à une escapade. Or ils partaient non pas pour se changer les idées, mais pour changer de vie…»

Le train traverse un pont et le cognement des roues efface les paroles. La largeur du fleuve a l'apparence d'une faille divisant des continents. Quand le bruit se tasse, Oleg se fait, sans conviction, l'avocat du diable :

«Mais, sincèrement, vous la trouvez probable cette fuite de Catherine II et de Lanskoï, incognito, à travers l'Europe ?»

Eva fait entendre un petit rire à la fois triste et tendre :

«Il y a un an, en écrivant le scénario, auriez-vous trouvé probable notre conversation ? Et notre façon de dire nos vies par l'intermédiaire d'une femme qui, un jour, s'est crue aimée ?»

La porte du couloir claque – surgissent «Ponia-towski» et «Ségur» qui, avec des révérences d'opérette, les invitent à un «dîner funèbre». Oleg les éconduit, leur promettant de se joindre bientôt à ces festivités loufoques…

Derrière la vitre, le même tournoiement neigeux, la glissade infinie des rails. Il faut oser répondre à cette femme silencieuse, avouer tout ce qu'ils partagent désormais...

Les bruits du dîner se font de plus en plus envahissants, le couloir se remplit de rires. Et la tourmente blanche emporte dans le passé ces aveux restés muets. L'instant où les exprimer serait encore possible fait penser à une vieille gare ensevelie sous la neige. Le train, dans sa lancée frénétique, ne s'y arrêtera plus.

... Tout le monde dira, plus tard, que le temps s'est emballé dès ce jour-là. À Kiev, la nouvelle tombe : le pays sera gouverné par Andropov, l'homme du KGB. On frémit, on prédit la dictature à la stalinienne... Et l'on serait très étonné d'apprendre que ce futur tyran n'est qu'un vieil homme malade à qui il reste un an à vivre et qui, du seuil de sa mort, lancera des réformes bientôt reprises par un certain Gorbatchev.

« Qui aurait pu trouver cela probable ? » pensera souvent Oleg, se rappelant les paroles d'Eva.

Il sera l'une des victimes non pas du tyran fantasmé mais de la trouille qui gagnera les fonctionnaires du cinéma. Ils se souviendront de son scénario idéologiquement peu correct... La sanction aura une rapidité proportionnelle à leur peur : le lendemain de l'arrivée en Crimée, Oleg apprendra que son poste d'assistant artistique vient d'être supprimé et que, par conséquent, il n'a qu'à rentrer à Leningrad.

La dernière vision qu'il gardera d'Eva Sander sera ce moment du tournage : une femme marchant sur un chemin bordé de hauts peupliers blancs, un grand vent gorgé de soleil, la mer qui se devine derrière l'ondulation dorée des feuillages. Ces feuilles séchées par l'automne se confondront, dans le film, avec l'éblouissement du printemps.

III

Les premiers jours après son opération, Oleg note toutes les nuances des temps nouveaux où il lui faudra apprendre à vivre.

De son lit, il suit les bruits du téléviseur qui, à l'autre bout du couloir, rassemble les patients. Des matchs, l'hystérie du commentateur, des films dont les dialogues, sans l'image, paraissent encore plus stupides, les actualités... Et cette façon de s'adresser aux autres : non plus « camarade » mais *gospodine* – « monsieur » ! Un archaïsme qui renaît pour bien marquer la fin de l'époque soviétique.

Et ce cri, un râle continu, depuis longtemps inconscient : un vieil homme qui « chante en duo avec son cancer », marmonne une infirmière. Ce mourant aurait besoin d'analgésiques, mais les médicaments manquent et les piqûres coûtent cher. « Il devrait graisser la patte au toubib, explique à Oleg l'occupant du lit voisin. Trente dollars et c'est le nirvana... »

Gospodine, dollars… Douze ans – une béance remplie de soubresauts politiques, de haines, d'espoirs, de mensonges. Il y a douze ans, ce *gospodine* aurait provoqué un éclat de rire, comme un carrosse arrivant à l'aéroport. Un pot-de-vin et, qui plus est, en dollars – inimaginable ! Mais surtout, jamais on n'aurait laissé ce vieillard lutter, tout seul, contre la douleur qui le rend fou et qu'il tente de taire en mordant dans un drap élimé.

Le pays a changé de nom et de frontières, Leningrad est redevenu Saint-Pétersbourg, une « Assemblée des nobles » rétablit les titres, organise des bals où valsent des comtes et des princesses. Et, à l'hôpital, ces patients privés de médicaments, anciens « camarades », s'habituent aux appellations qu'utilisaient leurs arrière-grands-parents.

« Auriez-vous trouvé cela probable ? » Oleg se rappelle la voix d'Eva Sander. Leur voyage en Crimée… Dans la nuit, la neige balayait les rails, le monde semblait s'envoler. Et il s'est envolé, mêlant présent et passé, brisant les vies, rompant les liens. Sans laisser une minute pour comprendre le sens du cataclysme. Oleg se rend compte qu'il a enfin le temps d'y penser. « Grâce au coup de couteau qui m'a troué le ventre… »

… Une semaine auparavant, un commando faisait irruption dans les bureaux du journal pour lequel il travaillait. Six hommes encagoulés tabassant les journalistes, mettant à sac les locaux. L'un des agresseurs a remarqué Mila, une jeune dactylo. Il l'a attrapée par le cou, l'a fait tomber à genoux, s'est déboutonné… Oleg a bondi vers lui mais, avant de pouvoir l'empoigner, a reçu un crochet au visage. Ses lunettes cassées, les lèvres en sang, il a repris l'assaut. Une douleur pointue lui a brûlé l'estomac…

Les yeux fermés, Oleg s'efforce d'oublier le râle du vieux… Des silhouettes défilent, familières et méconnaissables. Lessia qu'en douze ans il n'a revue que deux fois. La première : il vient de revenir de Crimée. Licencié. Lessia ne le sait pas encore et le statut d'assistant artistique garde à ses yeux un prestige certain. « J'aimerais interviewer Kozine pour ma revue, dit-elle. Bon, cet ours ne parle jamais. Mais toi ? » Une invite presque sensuelle. Elle promet à Oleg de l'appeler puis, en apprenant qu'il n'est plus rien, l'oublie… La seconde rencontre est plus récente. Lessia soupire, l'écoutant parler du petit journal auquel il collabore. « Pauvre Erdmann ! Mais qui va lire ton canard ? Le mur de Berlin est en train de tomber, c'est bien le temps de lutter contre des moulins à vent… » Dans sa voix se glisse une note de douceur. Elle s'interrompt, s'en voulant de cette faiblesse. Oleg change de sujet : « Et toi, tu comptes faire quoi dans cette déglingue ? » Une franchise un peu aigre éclaire le regard de Lessia : « Moi, je compte mener la vie dont rêvent toutes les femmes russes : une maison, des barbecues, des voyages dans des pays exotiques. Je viens d'épouser un Suédois... Tu as un autre scénario à me proposer ? » Oleg balbutie : « Mais non... Vivre en Suède, c'est déjà... » Et il se souvient des paroles anciennes de Lessia : imaginer les instants où Catherine vivait ce qu'elle n'était pas...

Il a aussi revu son ex-rival, Valentin Ziamtsev : dans une émission consacrée au dernier Congrès cinématographique. Une réunion qui se déclare révolutionnaire, en écho aux appels dé Gorbatchev. Les orateurs annoncent que seuls comptent les films autrefois interdits par le régime communiste. Ziamtsev dresse la liste des « ennemis du cinéma libre ». Ces malfaisants sont cités, un à un. Oleg entend le nom de Bassov et, quelques secondes après, celui de Kozine ! Des ennemis...

Le cri du vieillard s'épuise dans un gémissement aigu, comme une plainte d'enfant. On devrait « graisser la patte » à un médecin, procurer un calmant... « Je pourrais vendre ma montre, se dit Oleg. Mais personne n'en voudra, on cherche désormais des marques, de beaux jouets à plusieurs cadrans... »

À quel fantôme pensait-il ? Ah oui, à Kozine... La sortie de « leur » film, un festival à Moscou où Oleg se rend par ses propres moyens. La rancœur, l'humiliation et ce sanglot étouffé, dans le train qui le ramène à Leningrad – Oleg s'en souvient encore. Et ces affiches vite gondolées sous les pluies : *Le Voyage autour d'une alcôve*… Ni sur ces affiches ni dans le générique son nom n'est mentionné… Sa mémoire survole plusieurs années et une douleur très proche le frappe : l'entrée d'une station de métro, les effluves chauds mêlés au froid de la rue, un homme barbu, ivre, son manteau lustré par la crasse – Kozine! Oleg endure le souffle de ce clochard qui parle fort, s'interrompt pour boire au goulot, l'attrape par le revers de sa veste. « Toi, Erdmann, tu es resté propre, fichu Allemand. Moi, j'ai fait cette saloperie de film, une goutte de vérité dans un tonneau de merde! Je me suis sali l'âme pour plaire à leur putain de festival! Catherine II… autour de l'alcôve… tu parles! Tout le monde veut voir comment elle a baisé, le reste, on s'en fout. Mais surtout, Erdmann… à cause de cette saleté de film, je n'ai pas vu ma femme… mourir! J'ai, j'ai… » Il se met à bégayer, grimace, chuchote entre les larmes. Oleg lui fourre dans la poche l'argent qu'il a sur lui, promet de revenir demain, à la même heure. Les jours suivants, Kozine n'est plus là..

Qui encore? Dina. La « jeune Catherine »… À un moment, il s'est mis à détester ce visage entouré de bouclettes blondes. Dina surgissait dix fois par jour – la première à jouer dans des spots publicitaires, grande nouveauté en Russie. Cette jeune femme incarnait la douce médiocrité des aspirations de l'époque : le temps où le socialisme finissant assurait encore une certaine sécurité économique et où le capitalisme rêvé ressemblait à un Disneyland gratuit. Un jour, en croisant Dina, il l'imita : « "La lessive *Summer time* – du soleil dans vos draps!", "Le papier hygiénique *Mage* – plus doux qu'un nuage!" Le rôle de Catherine t'a bien préparée à ces conneries de lave-vaisselle et de couches-culottes! Kozine, lui, préfère vivre en clodo mais ne se laisse pas prostituer... » À ces mots, elle a inspiré profondément, comme après des pleurs, puis a murmuré : «Tu as un peu de temps? Je voudrais te montrer quelque chose... » Ils sont allés à la périphérie de Leningrad (non : déjà Saint-Pétersbourg), arrivant devant un long immeuble en briques grises. Des enfants, portant de gros paletots tous pareils, quittaient à ce moment-là le bâtiment. «Gamine, j'étais comme eux, a expliqué Dina. J'ai été élevée dans cet orphelinat... Maintenant, toutes ces "structures éducatives" sont en ruine. J'essaie de les aider, du mieux que je peux. Grâce à ma prostitution publicitaire. Et pour que tu puisses me mépriser davantage, sache que je vis avec mon patron... »

Oleg se retourne sur son lit, tâchant de ne pas coincer le tuyau de la perfusion. Le souvenir de Dina est pénible. Il repêche dans sa mémoire un visage hilare, nimbé de cheveux roux – Jourbine (c'était il y a trois ans) qui annonce avec l'assurance d'un brasseur d'affaires : « Je suis président d'une compagnie d'aviation. » Oleg parodie l'admiration béate d'un simplet : « *Gospodine* président, combien d'avions dans vos escadrilles ? » Jourbine rit, redevenant le bon copain d'autrefois. « En fait, trois, dont deux en réparation. L'essentiel, c'est que j'ai déjà réussi à avoir une part de marché. Quand je pense qu'autrefois, nous étions contents, toi et moi, de piquer un kilo de tripes aux abattoirs ! » Une autre fois, ils se revoient dans un train de banlieue. Le président d'une compagnie dans ce tortillard ! En plus, Jourbine porte une veste ouatée sale, des bottes en caoutchouc et, curieusement, un beau chapeau de vison. « Non, les avions, c'est fini. Trop de soucis. Des contrôles, des pièces de rechange… Et le kérosène, la ruine ! Non, maintenant, j'ai une ferme d'élevage de visons, un filon en or ! J'exporte même en Inde. Comment ça, les tropiques ? Là-bas il y a aussi l'Himalaya… » Soudain, il se met à crier : « Mais toi, Erdmann, qu'est-ce que tu fous ici ? Le mur de Berlin est tombé, tu es au courant ? On déroule un tapis rouge pour les Allemands qui veulent regagner leur patrie historique… *Nach der Heimat !* » Les passagers se retournent, cet accent allemand rappelle les aboiements des nazis dans les films des années cinquante. Oleg parvient à faire taire son ami, lui dit le but de son voyage : il va voir

Bassov. Jourbine s'exclame : « Ah, Bassov ! Notre maître, notre idole ! Mon père spirituel… Bon, à vrai dire, j'ai séché pas mal de ses cours, j'avais mon boulot. Tu te rappelles, aux abattoirs : "Trois carcasses à la sortie 2 !" Et mes visons, tu sais à quoi ça va me servir ? Une usine de prêt-à-porter ? Pauvre Prussien sans imagination ! Mais non, les visons c'est mon capital de départ et puis… Je vais faire du cinéma ! Un studio de cinéma. Donc tu as intérêt à ne pas m'oublier comme tu le fais d'habitude… »

Il resterait volontiers en compagnie de Jourbine. Mais, dans ce souvenir, il faut descendre du train, prendre un bus qui, après un long tangage poussif, l'amène vers un lotissement de datchas où habite leur vieux professeur…
Il ne parvient plus à se remémorer le visage de Bassov sans penser à sa mort. Un corps retrouvé dans un étang à moitié gelé. Un meurtre ? Un suicide ? Plutôt un de ces crimes « immobiliers » de plus en plus fréquents dans ce nouveau pays. Les victimes : des personnes âgées dont on convoite le logement dans le centre-ville ou bien la maison de campagne qu'un nouveau riche rasera pour se construire un hideux manoir avec des tourelles et une clôture haute de six mètres… Oleg plisse les paupières, tâche de voir Bassov vivant, comme il y a deux ans, fin mars, la neige fatiguée, les cris des freux dans les arbres et ce vieil homme sur le perron de sa maison : il

aspire l'humidité âpre de l'air, s'enivrant des senteurs qui s'éveillent, souriant aux chamailleries rauques des oiseaux... Voilà, Oleg le voit, entend ses paroles.

«Je suis désormais plus vieux que Catherine, je la comprends mieux. Dans le film de Kozine, dans *ton* film, il y a la scène de l'exécution de Pougatchev: on lui coupe la tête, puis les membres – une technique plus humaine que le dépeçage de Damiens sous Louis XV. Catherine est bien renseignée sur le procès de Damiens. Elle obtient même cette information sidérante: le procureur général est sollicité par trois Parisiens qui ont imaginé des mises à mort très sophistiquées. Le premier suggère de planter sous les ongles de Damiens des éclats de bois couverts de soufre et de les enflammer. Le deuxième veut qu'on écorche les muscles du condamné et qu'on les brûle à l'acide. Le troisième a bricolé une lame à ressort qui permet d'énucléer le supplicié en faisant sauter ses yeux, "comme des grenouilles", précise-il. Catherine s'avoue perplexe. D'accord, on doit frapper ceux qui mettent en danger le royaume. Mais d'où vient l'infinie minutie avec laquelle l'homme est prêt à torturer son prochain? Elle fait la même réflexion sur l'amour. Ses agents lui relatent les orgies du beau monde parisien, ce vaudeville de coucheries courtisanes, de rivalités sexuelles... Grâce à Damiens, elle sait que tuer ne suffit pas à l'homme. Grâce à Versailles, elle découvre qu'aimer ne suffit pas non plus. Dans le mal, comme dans le plaisir, les humains recherchent la complexité, l'intrigue. Le jeu! Oui, la "comédie" qu'elle évoque dans ses lettres. Ce jeu devient leur seul but. Inventer mille façons de tuer permet de ne pas penser au mal qu'on donne. Tournoyer dans mille ingéniosités érotiques permet de ne pas aimer... Si tu pouvais un jour le dire dans un film!»

Bassov n'a jamais critiqué le film de Kozine. Il a juste évoqué ce qu'il n'y avait pas trouvé. Une vie à l'écart de l'ingénieuse farce des humains...

Oleg se redresse sur son lit, surpris par le silence – le vieillard ne râle plus! Les patients, excédés, ont sans doute rassemblé de quoi payer des antalgiques. Ils l'ont fait la semaine passée et Oleg, proposant ses roubles, apprenait que l'inflation en avait rogné la moitié depuis son entrée à l'hôpital... Les journaux parlent de la Russie à la dérive, des hôpitaux qui ne peuvent plus soigner, des usines qui ne paient plus leurs ouvriers, de la criminalité qui gangrène la société, de l'alcool qui emporte des millions de vies... Avant, Oleg lisait cela avec la curiosité détachée qu'on a pour des statistiques. Maintenant, il y a ce vieux qui a reçu sa dose de nirvana. Il y a aussi Kozine accroupi dans un recoin crasseux du métro. Et le corps de Bassov traînant sur la glace d'un étang...

Douze ans auparavant, à la première projection, la fatuité de se sentir auteur l'a trop distrait : Oleg notait ses propres trouvailles. Revoyant le film à Leningrad, il a surtout suivi le jeu de Dina et d'Eva Sander…

À sa troisième séance, il s'est enfin concentré sur l'art de Kozine… Des radeaux surmontés de potences descendent la Volga : après l'écrasement de la jacquerie de Pougatchev, on fait dériver ces gibets pour effrayer les derniers émeutiers. Un enfant pêche au bord du fleuve, par une belle matinée de printemps – soudain une grappe de pendus surgit au-dessus des saulaies…

Une autre scène a été ajoutée après le départ d'Oleg. Un favori meurt – c'est Lanskoï. Catherine est anéantie, elle refuse la nourriture, sombrant dans une demi-folie. La faiblesse de cette femme de cinquante-cinq ans est déchirante – son corps se tasse comme celui d'une poupée de chiffon. Et c'est ce corps abandonné que Potemkine possède avec brutalité, en reprenant *sa* Catherine qui a failli lui échapper.

Oleg note aussi les séquences qu'on a sacrifiées au montage. Privé de couronne, Pierre III demande qu'on le laisse partir, avec son violon pour tout bagage… Ivan VI, emprisonné enfant, n'a connu que les murs de sa cellule. Catherine lui octroie un quart d'heure de liberté : sur la tour du guet de la prison. Pour la première fois, depuis vingt ans, il voit le ciel. Pour la première fois de sa vie, il voit la mer. Il inspire jusqu'au vertige.

Catherine baisse les paupières sous un afflux de larmes. Elle vient de donner l'ordre d'exécuter Ivan en cas de tentative d'évasion...

Oleg s'éveille : ces visions se sont mêlées à ses rêves. La bouteille de perfusion est vide. Que peut-il arriver ? Une bulle d'air qui parcourt le tuyau et provoque une embolie ? Cette mort, est-elle pénible ? Ou bien libératrice, comme les instants auxquels il vient de penser ?

Au réveil, il apprend que le vieillard dont il n'entendait plus les râles est mort vers trois heures du matin.

Les livres sont rangés en piles sur son lit – une dalle de reliures qui rappelle un sarcophage.

Ces derniers mois, il n'a pas vécu dans cette chambre, louant un logement avec son amie, Tania. Elle l'a appelé, après l'opération. S'il voulait la revoir, disait-elle, il devait d'abord «régler ses problèmes». En clair, ne plus avoir maille à partir avec ceux qui avaient failli l'éventrer...

Cette expression, «régler ses problèmes», est désormais très usitée, elle peut évoquer la nécessité de changer une ampoule, tout comme l'urgence de liquider un concurrent. Tania ne veut pas croiser, un jour, cette bande d'encagoulés à sa porte. «Tu sais bien que Saint-Pétersbourg détient le record du nombre de meurtres. D'ailleurs, j'ai déjà changé la serrure...»

C'est une femme jeune, belle et qui n'est pas prête à mourir au nom de la liberté d'expression que défend la feuille de chou pour laquelle travaille Oleg. Il peut la comprendre.

Son retour dans la ruche communautaire l'aide à évaluer la brutalité de la course où s'est lancée la Russie. Avant, l'appartement était habité par des gens certes modestes mais qui avaient tous un travail ou une retraite. Y nichaient aussi des artistes venus conquérir Leningrad, des divorcés espérant trouver mieux rapidement. À présent, s'entassent ici des laissés-pour-compte, les perdants du triage entre les forts et les faibles, seule façon d'exister dans ce nouveau pays. Leur pauvreté se voit au linge qui sèche, aux plats cuisinés sur le fourneau.

L'an cinq depuis la chute du mur de Berlin.

Être classé parmi les vaincus est désagréable. Lui aussi a eu ses années fastes! Non pas une compagnie d'aviation, mais de bons emplois et donc de bons salaires. En ces premières années de libéralisation, un simple revendeur de cigarettes, dans un kiosque en contreplaqué, devenait «businessman»… Oleg a écrit des pièces radiophoniques, réalisé des courts-métrages, travaillé pour un théâtre, a même acheminé vers la province des voitures d'occasion… Et le samedi, il filmait les mariages: la bourgeoisie naissante avait besoin d'immortaliser l'éclat des célébrations. De ce cirque nuptial, il est passé aux documentaires de commande qui retraçaient l'ascension des oligarques. Toujours le même canevas: une jeunesse soviétique désargentée, l'entrée dans le monde cruel des affaires, le génie d'entreprise qui s'éveillait et, enfin, un luxueux bureau, marbre et dorures, où ce *self-made man* narrait son épopée… Certains de ces magnats allaient être tués peu de temps après («Je n'y suis pour rien», plaisantait Oleg). Le temps que vivait alors la Russie pulsait avec une frénésie pathologique. Les fortunes se créaient en quelques mois, se perdaient en quelques heures. Voir, en pleine rue, un homme étendu dans une mare de sang était aussi banal qu'autrefois enjamber un ivrogne endormi sur le trottoir. Un jour, Oleg a filmé une limousine, symbole rutilant d'une carrière. Le lendemain, il n'en restait qu'un tas de ferraille dégageant l'odeur des explosifs. Les policiers ramassaient dans des sacs en plastique les restes du propriétaire.

Il se savait capable de s'adapter à cette course d'endurance. Changer d'emploi. Se blinder le cœur. Oublier ses rêves de cinéma en fabriquant des vidéos qui le faisaient vivre. Et il vivait bien. Il pouvait louer un beau logement, tout en gardant sa chambre dans l'appartement communautaire – «mon débarras», disait-il. À un moment, il a même eu deux petites amies, et le comble, elles se ressemblaient physiquement! En fait, elles ressemblaient à Lessia…

C'est la mort de son ancien professeur, Bassov, qui l'a fait douter de cette nouvelle vie. Il imaginait le vieil homme tombé au bord d'un étang glacé – un corps que les passants contournaient… Le monde n'avait pas de sens si un homme pouvait disparaître ainsi : sans mériter une enquête sur les causes de son décès, ni un simple soupir, sous ce ciel gris, annonçant le printemps.

Après la rencontre avec Kozine, revenir dans la course devenait impossible. La déchéance nous surprend plus que la mort. Le choix de se laisser mourir lentement, dans la crasse, sous les regards méprisants des autres, cette longue noyade de Kozine dans la mort, a ébranlé Oleg plus que ne l'aurait fait une disparition soudaine…

Il a abandonné ses oligarques et, un soir, a répondu à une annonce : le journal *No Comment* cherchait un photographe.

Le journal ne publiait que des photos et de courtes légendes. Les clichés, réunis par deux, devaient leur force à cette juxtaposition. Sur le premier, on voyait, par exemple, une vieille assise dans la neige, la main tendue – sur le second, dans la même rue, un hôtel particulier où les invités se goinfraient de caviar. Le dortoir surpeuplé d'un hospice – face à la résidence d'un ministre. Des enfants en haillons – un écolier descendant d'une voiture de luxe en compagnie d'un garde du corps…

Oleg ne se faisait pas d'illusions sur l'impact de ces contrastes. Mais l'enthousiasme de la petite équipe l'a touché. Les six journalistes avaient la foi, ce qui manquait dans ce nouveau pays où l'obligation de réussir exigeait des gens la fermeté morne des automates. Les cercles de l'oligarchie lui étaient connus, ce qui a fait de lui, à la rédaction, «notre homme chez les riches». Il a fini par croire que leurs efforts pourraient éveiller les foules lancées dans une sauvage ruée vers rien.

Des menaces leur parvenaient tous les jours. Plusieurs fois, la voiture du journal a brûlé. La réponse de la police était prévisible: «Vous cherchez vous-mêmes des emmerdes, encore heureux qu'ils ne vous aient pas tiré dessus…» Ce «ils» désignait beaucoup de monde: chaque numéro publiait des photos qui avaient tout pour déplaire aux puissants.

L'attaque des encagoulés ne les a pas surpris outre mesure. Surprenant – Oleg y penserait sur son lit d'hôpital – était le côté très naturel du mal. Casser, frapper et, si une femme vous plaît, la violer. Et si un idiot s'interpose, lui planter un couteau dans le ventre, juste pour l'écarter. Une brutalité machinale, presque libérée de méchanceté. «Après tout, se disait-il, un loup qui égorge une brebis ne la hait pas.» Cette absence de haine paraissait plus angoissante que la violence même.

«La lutte pour la survie rend les hommes à leur bestialité.» Il l'a souvent répété, avant de se demander avec aigreur: «Et que peux-tu leur proposer? Quelle autre vie? Quel autre but?»

La question lui revient, une nuit, en écho au cri que pousse le vieux cancéreux. « Quelle autre vie ? » Un reflet s'éclaire, entre la mémoire et le rêve : une femme qui marche le long des grands arbres blanchis par la première neige. Une vision qui a justement l'évidence d'un but. Il voudrait dire cette beauté, mais sa pensée se dissipe devant une vision encore plus vive : un homme avance dans une nuit claire, au milieu des champs. Sous son bras, il porte un violon...

Oleg repense à ces instants en retrouvant, chez lui, des piles de livres, échos des temps lointains. Son scénario, le tournage, le voyage en Crimée. Douze ans... Guerres, crises, révolutions, catastrophes planétaires et ses petites catastrophes à lui, ruptures, séparations, la plaie encore suintante dans son ventre... Et la constante beauté de cet instant : une femme marchant sous les arbres enneigés, le long de la mer.

Le choix est simple : se débarrasser de cette littérature, rejoindre la ruée humaine. Ou bien... Il ouvre un volume. La guerre de Sept Ans, la Russie se bat contre la Prusse de Frédéric II, l'impératrice Élisabeth découvre que la jeune Catherine a échangé avec lui quelques lettres. Espionne allemande ? Le comte Chouvalov et le prince Troubetskoï qui mènent l'enquête succombent au charme de la jeune princesse. L'auteur prétend qu'elle les reçoit ensemble... Toujours cette volonté d'accoupler Catherine avec plusieurs mâles, de l'animaliser. La même chose était racontée à propos des frères Zoubov – ils devaient, forcément à deux, se jeter sur elle...

Il remet le livre dans le tombeau de pages. Deux sortes de récits : les uns montrent une femelle en chaleur, d'autres une championne de jeux politiques. Une marge étroite : le sexe ou les singeries courtisanes... Une cage !

Il imagine un volume enfoui au fond de ce sarcophage de mots – le récit d'une vie à l'écart de cette existence carcérale.

Cette histoire-là n'existe pas, il le sait. La créer ? Le projet est exaltant. Mais surtout il lui est désormais impossible de revenir en arrière – dans le monde raconté par les livres du sarcophage.

Le soir même, il compte ses économies : deux millions quatre cent mille roubles, de quoi tenir trois mois ou, plutôt, un mois et demi, vu le galop de l'inflation. Un temps suffisant pour tenter de briser les barreaux de la cage.

En 1762, les amants de Catherine tuent son mari Pierre III. En 1801, le dernier favori de la tsarine participe à l'assassinat de son fils Paul Iᵉʳ. Des hommes très proches de cette femme, intimes de ses caresses, de ses baisers. Ses lèvres se sont posées sur la bouche des futurs tueurs et des futurs tués…

À y réfléchir, Oleg parvient à une frontière où les doctes dissertations sur Catherine II perdent tout leur intérêt. Les historiens reconstituent la logique du règne. Or il faudrait exprimer l'absurde magistral du destin de cette femme.

Elle cherche à soulager les souffrances du peuple et obtient une jacquerie dévastatrice. Ses velléités républicaines débouchent sur l'aggravation de l'esclavage. Son fameux refrain «Voltaire m'a mise au monde» est rythmé, à la fin de sa vie, par les claquements de la guillotine dans sa douce France rêvée… Un amant de Catherine joue avec le petit Paul, l'enfant adore cet homme qui, plus tard, se retrouvera parmi ses assassins… D'ailleurs, le tsar aurait pu échapper à la mort. Ses médecins lui conseillent de «brider la nature» car son épouse est affaiblie par ses grossesses : Paul fait condamner la porte entre sa chambre et celle de sa femme. À l'arrivée des conjurés, cette issue lui aurait ouvert une enfilade de pièces par où s'enfuir.

Oleg a étalé ses livres autour du canapé et, couché, il recueille ces grains d'absurde qui démentent le pompeux «sens de l'Histoire». Né en 1754, Paul a vécu au milieu des hommes qui sont entrés dans le lit de sa mère après avoir tué son père… À la mort de Catherine, en 1796, il ordonne d'exhumer la dépouille de Pierre III. Le squelette, après trente-quatre ans passés dans la tombe, est disposé, au palais d'Hiver – au côté du corps de Catherine. Paul défie la mort avec une folie somptueuse et macabre : les ex-amants de sa mère accompagnent les deux cercueils vers le caveau impérial. Les favoris portent les décorations et la couronne de celui qu'ils ont tué. La mise en scène dénonce la bêtise des hommes, la goinfrerie de leur chair, leur prétention de régir le monde. Paul se sent Dieu, un dieu triste que même la démonstration de sa raison ne peut réjouir. Dans la procession funèbre marchent déjà ceux qui l'assassineront…

Autrefois, Oleg cherchait les grands faits du règne, des personnalités marquantes… Cette Histoire-là ne l'intéresse plus. La vraie trame est bien plus simple : la chronique d'une meute de fauves humains qui courent, s'entre-déchirent, s'accouplent, meurent… Des mâles forts et rusés massacrent un mâle faible, pour s'emparer de sa femelle. Rien d'autre.

Plusieurs livres déclarent que la mort de Pierre III est historiquement logique. Quant à son espoir naïf de s'en aller, un violon sous le bras, c'est la preuve de sa débilité mentale…

On dirait un accord tacite entre auteurs pour préserver les lois de ce monde : la force écrase la faiblesse, le sexe exacerbe la soif de dominer, le rêve signifie l'inadaptation, l'incapacité de survivre dans la jungle sociale. Et puisque nous sommes des gens civilisés, notre langage dissimule adroitement cette bestialité : la logique de l'Histoire, la victoire de la Raison…

L'orgueil de la Raison ! L'orgueil des historiens qui veulent endiguer le chaos par leurs chronologies. L'orgueil du «siècle des Lumières» qui a divinisé l'homme. L'orgueil des monarques éclairés qui espéraient que le vernis des salons tiendrait sur le bois noueux des âmes… Dans un volume, Oleg retrouve l'un de ces orgueilleux – Frédéric II, grand ami de Voltaire, puis son ennemi juré. C'est la guerre, les Russes mettent à sac sa demeure de Charlottenbourg. Le prince de Ligne reconnaît que ses hussards autrichiens ne sont pas en reste : ils marchent «jusqu'à mi-jambe dans la porcelaine et les cristaux». Un havre de paix conçu pour de paisibles causeries sur les bienfaits de la civilisation...

L'orgueil, touchant dans sa ferveur, chez Catherine. Ses petits-fils, Alexandre et Constantin, auront pour précepteur le citoyen suisse Frédéric César La Harpe. Républicain, pédagogue rousseauiste et, plus tard, admirateur de la Révolution française. Quoi de mieux pour exhausser l'esprit des deux princes? Quelques années après le départ de La Harpe, Alexandre laisse les comploteurs tuer son père Paul Ier. Constantin, à la tête de sa bande de soudards, après mille exactions, s'empare d'une Pétersbourgeoise qui, précédemment, a résisté à ses avances. Malgré la présence de ses deux enfants, cette jeune veuve est violée par une douzaine d'hommes. Ses membres sont brisés, ses ligaments rompus, sa bouche s'ouvre, déchirée, sur des éclats de dents cassées. Les violeurs jettent son cadavre devant le domicile de sa mère...

Oleg se lève, se met à faire les cent pas dans le couloir. L'épisode du viol est rarement raconté par les biographes. Jamais ils ne mettent en parallèle ce carnage avec les belles idées de La Harpe, de Voltaire, avec les doctrines qui, à l'époque, sacralisaient l'homme et sa liberté. La Harpe regagne la Suisse, pendant que Catherine reçoit de son ambassadeur parisien le compte rendu de la révolution en cours. Un détail la laisse songeuse : les têtes coupées sont frisées avant d'être présentées aux proches des victimes. La bonté naturelle de l'homme…

De plus en plus, Oleg éprouve la nausée en lisant les descriptions des guerres : « L'Autriche perdit cent trente mille soldats et trois cents millions de florins. La Russie perdit deux cent mille hommes et deux cents millions de roubles. Les Turcs perdirent trois cent mille hommes et deux cents millions de piastres… »

Une voix approuve cette obscénité – Voltaire ! Il prie Catherine de lui confirmer que quinze mille Turcs viennent d'être abattus. « Ainsi, dit-il, mon bonheur sera complet. »

Il faut lire entre les lignes pour découvrir la vérité de ce maître à penser de la tsarine. Alors, on surprend Voltaire en train d'écrire des lettres de délation dont le but est de faire embastiller un jeune littérateur qui ose le critiquer. Il accompagne la police chez les libraires : les livres qui lui déplaisent vont être saisis, les librairies – fermées, les imprimeurs, emprisonnés. La haine qu'il exsude finit par agacer Catherine elle-même. « La guerre est une vilaine chose, monsieur », répond-elle à cet humaniste qui l'exhorte à massacrer les Turcs.

Au bout d'un mois, vient cet ébahissement : comment pouvait-il s'enthousiasmer de ces pitreries ? Tel pays envahit tel autre. Ce roi-là trucide son rival. Une favorite complote pour qu'une guerre éclate.

Frédéric II surnomme sa chienne préférée – «Pompadour». Ulcérée, la marquise manigance l'union entre la France et l'Autriche. En résulte la guerre de Sept Ans, celle «des trois jupons»: la Pompadour, Élisabeth de Russie, Marie-Thérèse. Frédéric est battu par ces dames – les hussards marchent «jusqu'à mi-jambe dans la porcelaine et les cristaux». Mais Élisabeth meurt, Pierre III monte sur le trône russe et sauve Frédéric qu'il idolâtre. Pour les Russes, ce tsar est bon à se faire culbuter. Catherine accomplit cette tâche et... Et l'histoire continue – une farce sanglante aux infinis rebondissements. Elle ne débouche sur rien d'autre que la perpétuelle réédition des tueries, des jongleries politiques, des utopies, des intrigues d'opérette...

Et la suite de cette démence, Oleg la voit à la télévision: un spécialiste explique la guerre en Tchétchénie par le refus de Catherine II, en son temps, d'envahir les principautés caucasiennes. Des maisons brûlées, des cadavres de soldats... Le reportage est coupé par une publicité: «des villas au bord de la Baltique, accès à un golf privé».

Il va à la cuisine se faire un café. Dans le couloir, une femme trottine avec une grosse casserole fumante – Génia qui vit avec ses trois enfants dans une pièce de douze mètres carrés. «Une villa...», se dit Oleg. Le mari de Génia a écopé de quatre ans pour avoir volé un poulet dans un camion frigorifique.

En cherchant les allumettes, Oleg découvre, dans un placard, une vieille bouilloire… Autrefois, il l'a souvent vue sur le fourneau. Sa propriétaire s'appelait Zoïa – une femme d'une cinquantaine d'années dont il ne savait rien. À quel moment a-t-elle quitté cet appartement communautaire ? Et pour aller où ? Il éprouve un attachement presque tendre pour ces soirées où il voyait Zoïa assise face à la fenêtre, égarée dans un temps où personne ne pouvait la rejoindre… Elle avait un beau visage marqué par la fatigue – des yeux très clairs, comme lavés d'une pluie. «Ta poivrote de voisine», disait son amie Lessia, un peu méprisante…

Le lendemain, il voit Génia qui est en train d'habiller ses enfants pour les emmener à l'école. Elle crie, tape, menace : «Vous verrez, quand papa reviendra de son voyage…» Oleg lui demande si elle a connu Zoïa.

«La grosse qui picolait ? Ouais, on se parlait des fois, devant nos casseroles… Finalement, on ne sait pas comment c'est arrivé. Bien sûr, le machiniste de la loco aurait dû faire attention… Mais comme elle buvait…»

Cette mort est racontée au milieu des taloches que Génia distribue à ses fils. La «grosse qui picolait» travaillait aux chemins de fer, a été fauchée par un train – entre deux gorgées d'alcool, a-t-on dit. Avait-elle des proches ? «Depuis deux ans, personne n'est venu… Vous êtes le premier à me poser des questions. Bon, allez, il faut que je file…»

Oleg s'installe sur son canapé assiégé de volumes. Des milliers de pages qui détaillent chaque pas de Catherine. Face à cette pléthore, la vie de Zoïa n'est même pas une ombre. Un reflet de visage, l'écho éteint d'une voix. Et ces bribes rapportées par Génia : une femme qui buvait et qui, travaillant la nuit, n'a pas su éviter un train. Le reste est le néant – définitif!

Sa révolte est d'une violence physique, un cabrement face à la mort. « Non, il y avait aussi cette matinée! »

... Oui, un matin de février. Un premier redoux, une neige dont le glissement sur le visage semblait empli de tiédeur. Ils se croisèrent dans l'entrée, tous deux revenant de leur travail nocturne : lui, des abattoirs, Zoïa – de son dépôt de chemins de fer. Leurs manteaux étaient enrobés de neige. D'un geste un peu gauche, ils secouèrent les flocons, chacun sur l'habit de l'autre. Oleg voyait ce visage féminin qui, à cause d'une nuit sans sommeil, était encore débarrassé des soucis du jour. Elle devait voir dans son regard à lui le même éloignement rêveur... Ils se séparèrent, Zoïa alla mettre sur le feu sa bouilloire, Oleg revint vers ses brouillons. « Cette femme est belle, se dit-il, dommage que... » Il n'eut même pas le temps de préciser ce regret. Sur sa table de travail, sa machine à écrire, les pages de son scénario, le petit miroir de poche où, quelques semaines auparavant, Lessia s'était regardée, se mettant du rouge à lèvres... « En fait, Zoïa ressemble assez à Catherine, vers 1780 », pensa-t-il, déjà sur un mode ironique, chassant cette tendresse indécise pour une femme dont il avait toujours ignoré la beauté…

Il feuillette les livres étalés à ses pieds et soudain, avec un mélange de joie et de stupéfaction, il comprend que, grâce à cet instant de février, la vie de Zoïa lui est infiniment plus connue que celle de la tsarine. Cette seule matinée, sentant la neige et le printemps, est plus vraie que toutes ces sommes historiques. Et c'est de la tsarine, enfermée dans son sarcophage de mots, qu'on ignore tout car aucun de ces volumes n'a retenu la fraîcheur d'une matinée d'hiver vécue, un jour, par Catherine.

Ils deviennent amants au printemps 1780. Alexandre
Lanskoï a vingt-deux ans, Catherine en a cinquante.
Contrairement aux favoris précédents, Lanskoï se montre
désintéressé. Il ne brigue pas les titres, ne cherche pas à
«caser» ses proches. Les intrigues l'ennuient, l'influence
qu'il pourrait exercer l'indiffère. Au sommet d'un empire
qui domine la moitié de l'Europe et la moitié de l'Asie,
il paraît insensible à l'étendue d'une telle force, prisant
peu l'histoire écrite au calibre des canons. Il semble
sincèrement attaché à cette femme encore belle, vive et
qui s'impose une discipline corporelle très stricte. Les
autres favoris, une fois au palais, se sentaient prisonniers et, à la première occasion, fuyaient vers les jeux
du pouvoir, les complots, la débauche. Lanskoï n'est
heureux que pendant ses longs tête-à-tête avec Catherine, leurs promenades dans les allées de Peterhof, leurs
soirées au bord de la Baltique.
    On dirait qu'il aime cette femme… Ce qui est à la

fois logique et parfaitement impossible. Logique, car tout favori se doit de déclarer sa flamme à l'impératrice. Impossible, vu que ces hommes ne sont pas faits pour durer – très vite, ils bombent le torse, essaient de transformer leurs caprices en politique d'État, trompent la tsarine et, du jour au lendemain, disparaissent de sa vie. Une lettre de renvoi, un cadeau d'adieu (des terres, des serfs, de l'or) et l'interdiction d'apparaître à la Cour. Souvent, un nouveau favori reprend les appartements vides dès le lendemain.

Avec Lanskoï, tout se passe autrement. Catherine le voit pour la première fois en décembre 1779, mais c'est seulement au printemps qu'elle l'invite au palais. La vie de la tsarine change de cadence.

Cet amant-là donne l'impression d'apaiser la fièvre du grand règne. Catherine peut enfin « souffler ». Cela est sans doute lié à son âge, à la plénitude physique dont elle jouit. Et puis, elle atteint, en ces années-là, ce stade de vol plané où le pouvoir, solidement installé, pèse moins. Les émeutes paysannes sont du passé, les conspirateurs ont déposé les armes, la dédaigneuse Europe a fini par accepter ce vaste pays qu'on peut toujours blâmer pour sa lourdeur orientale mais avec lequel il faut désormais compter. L'œuvre de Catherine ressemble à une statue de bronze qu'on vient de dégager de son moule : il faudra encore polir et fourbir, mais le sculpteur sait que l'essentiel est fait.

Pour les historiens, Lanskoï est une parenthèse de douceur dans le combat d'une femme qui doit s'affirmer, régner et, faute d'amour, s'acheter du sexe. Un éphémère prince charmant.

Pourtant, il reste plus de quatre ans auprès de la tsarine. La rupture n'est pas provoquée par un renvoi mais par sa mort.

Et c'est lui qui prépare le plus grand changement dans la vie de celle qu'il aime – le départ.

Oleg se rappelle Eva Sander. Elle tenait passionnément à cette version. Un amour tardif que Catherine découvre enfin, une tendresse inattendue de la part d'une femme qui a toujours su organiser sa vie charnelle, tel un département de ministère.

« Ce qu'ils vivaient était si étranger au monde que pour s'aimer, ils devaient effacer ce monde-là. Partir. Renaître... »

Eva le disait avec une conviction émue qui ne reposait presque sur rien. Une dizaine de vieilles cartes d'Europe et une brève missive que les historiens citent parfois : un mot de Lanskoï qui parle à la tsarine de « notre voyage »...

Il s'agissait, probablement, de leur venue, en 1783, en Finlande, où Catherine a rencontré le roi de Suède, Gustave III. Le seul long voyage que les deux amoureux aient jamais entrepris.

Si Oleg n'abandonne pas l'idée d'un «départ», c'est à cause d'une certitude calme, inentamable : sans l'espoir de ce voyage secret, la vie de Catherine n'a plus de sens. Ou plutôt, elle n'a pas davantage de sens que la chronique des guerres, des émeutes, des intrigues politiques, cet écheveau de sanglantes et brillantes vanités qu'on appelle l'Histoire...

Il pense aussi à Zoïa. Sans la lointaine matinée de février où, couverts de neige, ils se sont croisés dans l'entrée, oui, sans cet instant de vertige lumineux, la vie de Zoïa ne serait qu'un récit déjà effacé : une femme portée sur l'alcool, une esseulée qui chauffait l'eau de son thé dans une grosse bouilloire, une ouvrière qui, une nuit, a eu un accident mortel sur son lieu de travail. Cette épitaphe et l'oubli.

Les traces du voyage sont presque absentes. Oleg tente de les déchiffrer dans les intervalles qui séparent les grands événements historiques. Catherine négocie avec Gustave III pendant que les armées russes guerroient près de la Caspienne. Mais, au milieu de tout cela, comment vit-elle ? Quel est le parfum des heures, le soleil des saisons qui rythment son amour pour Lanskoï ?

Souvent, ils lisent ensemble. Catherine n'hésite plus à mettre ses lunettes, ce qu'elle n'a pas fait devant les favoris précédents, de peur de paraître vieille. C'est aussi à partir de ces années-là qu'elle commence à porter des vêtements amples – non pour dissimuler la rotondité de ses formes, mais certaine de ne plus avoir besoin de se corseter pour plaire.

Elle fait relire à Lanskoï celles de ses lettres qu'elle rédige en russe : il corrige les verbes de mouvement, le principal écueil de cette langue. Lui, sur le conseil de la tsarine, est en train d'apprendre l'italien... Dans leurs causeries, il exprime souvent son dégoût pour la politique.

Quelques échos épars, d'un livre à l'autre, font deviner la nature de leur relation amoureuse : après la grande instabilité passionnelle qu'a toujours vécue Catherine, vient une consonance sereine de cœurs et de corps, la sensation d'avoir une éternité pour s'aimer. «Avec lui, mes journées coulent comme une poignée de sable que je peux reprendre indéfiniment, écrit-elle. Avant, c'était un sablier que je tournais et retournais, effrayée par la fuite de ses grains...»

Catherine semble non pas rajeunie, mais à l'écart de l'âge. Lanskoï dément la mièvrerie du portrait qu'un peintre de cour a fait de lui. Il mûrit, sa présence s'étoffe, on a l'impression qu'il protège cette femme, si puissante, si vulnérable. «En donnant son bras à l'impératrice, note le bibliothécaire de Catherine, Lanskoï marchait, son épaule un peu en avant, comme un bouclier.»

Oleg imagine ce couple d'amants. Ils traversent les enfilades du palais de Peterhof, puis montent à cheval et, dans la pâleur d'une soirée de juin, longent lentement la rive de la Baltique.

Les preuves d'un départ en préparation sont ténues. Lanskoï apprend l'italien? Mais tous les favoris étaient incités par Catherine à parler les langues étrangères. Leurs lectures (Algarotti, Voltaire, Swedenborg) ne trahissent pas non plus l'élaboration d'un plan d'évasion. Les cartes? Mis bout à bout, les itinéraires soulignés d'une encre à peine visible pourraient tracer un trajet qui relierait Saint-Pétersbourg et le nord de l'Italie. Mais rien n'indique qu'il faille réunir les cartes dans ce sens-là.

Un soir, Oleg se rend compte que ses recherches durent déjà depuis deux mois et que seul le souvenir d'Eva Sander le pousse à continuer. L'idée d'une tsarine qui abandonne tout, la merveilleuse folie d'une telle fuite, est exaltante. Mais il en voit, à présent, la source : Eva et son ami italien, Aldo Ranieri, leur amour illuminé par la légende de Catherine et Lanskoï.

Sa jalousie le fait sourire : tout cela est si loin! Des promenades dans une ville qui s'appelait encore Leningrad, le tournage, la Crimée... Depuis, le mur de Berlin est tombé, l'Allemagne s'est réunifiée et Eva doit poursuivre tranquillement sa carrière de comédienne. Se souvient-elle d'un «assistant artistique» à qui elle a fait croire au voyage secret de Catherine? Un fou qui, pour la millième fois, brasse ces volumes poussiéreux, à la recherche d'un mot dont la sonorité rappellerait le bruit des sabots sur une route nocturne.

Le lendemain, il est réveillé par la stridulation d'une scie. Il jette un coup d'œil par la fenêtre de la cuisine: l'immeuble d'en face semble bouger. Non, c'est l'arbre, au centre de la cour, qui frémit et, traçant dans l'air gris une large courbe, tombe en soulevant un voile de neige...
Habillé à la hâte, il descend, hurle, comme si l'on pouvait encore remédier à cette chute. Quatre hommes le regardent avec un mépris débonnaire. «Il gênait quelqu'un, cet arbre?» demande-t-il, conscient que sa voix ne porte pas. Un rictus de dédain: «Là, il ne gêne plus personne. Et si tu n'es pas content, je peux t'écourter un peu, toi aussi.» L'homme qui tient la scie recrache son mégot. Les autres poussent un toussote-ment de rire. Et ils se mettent à découper le tronc...
Une heure plus tard, deux quatre-quatre sont garés à la place de l'arbre. Oleg hait la carrure de ces automo-biles: elles ressemblent à des grosses bêtes sûres de leur droit de vous passer dessus... «Le cliquetis des sabots sur une route nocturne...», se dit-il en traversant la cour.

À la bibliothèque centrale de Saint-Pétersbourg, ses recherches provoquent des réactions contrastées:

l'admiration pour son opiniâtreté et la défiance qui accompagne un érudit enragé. L'employée qui lui remet le document commandé précise qu'il va consulter des archives dont personne n'a tourné les pages depuis le 24 septembre 1932!

Les mémoires d'un neveu du favori Ermolov... Lanskoï meurt le 25 juin 1784. Après une solitude inhabituellement longue – huit mois – Catherine choisit pour amant Alexandre Ermolov qui reçoit, à la Cour, le surnom de « Nègre blanc », à cause de sa chevelure blonde crépue et de ses lèvres épaisses. Catherine rachète aux parents de Lanskoï les décorations du défunt pour les offrir au nouveau favori. Le neveu raconte cet épisode et aussi la promenade à laquelle il a pris part. Une belle journée de la Saint-Jean, à Peterhof. L'impératrice marche au bras d'Ermolov, une petite suite les accompagne... On entend un violon et les roulades d'une voix. Deux Italiens: un vieillard aveugle joue, un adolescent chante. Ermolov leur jette de l'argent. Les courtisans se plaignent de ces va-nu-pieds qui ont une main sur le cœur et l'autre dans votre poche. Venant déjà de loin, la voix de l'adolescent résonne soudain avec une force désespérée: « *Il prim' amore non si scorda mai...* » L'impératrice rit, tout le monde l'imite, se gaussant des Italiens qui, sous leur chaud soleil, vivent chaque jour leur « *prim' amore* »... Soudain, ils comprennent que Catherine pleure... Ermolov est renvoyé le lendemain.

Devant le bâtiment de la bibliothèque s'élève la statue de Catherine II. Oleg l'a cent fois examinée, cherchant dans les reliefs du bronze la clef du mystère de cette femme... Elle se dresse, symbole de la puissance, de la Raison, de la fatalité historique. Autour d'elle, les hommes qui l'ont secondée dans sa titanesque activité. Aucune trace de Lanskoï. Un pigeon sommeille sur la tête de Potemkine...

Dans la cour de son immeuble, Oleg est déjà moins surpris par la présence des grosses voitures à la place de l'arbre. « L'histoire en marche, se dit-il. La muflerie que nous appelons la logique du progrès... » Les fenêtres de la maison d'en face sont allumées, on voit des ouvriers qui arrachent les papiers peints. Ces anciennes habitations collectives seront transformées en logements de luxe.

De la cuisine, Oleg jette un coup d'œil dehors, comme le faisait Zoïa : les deux quatre-quatre, de la sciure, une bétonneuse qui grince sous le mur. Une vie qui va de l'avant et se moque bien de l'ombre d'une femme un peu ivre, assise à cette fenêtre, le regard perdu dans la lente voltige de la neige.

Il le comprend plus clairement que jamais : pour écrire l'histoire d'une vie ou d'un règne, on est obligé de sacrifier ce regard qui suivait la chute des flocons. Sacrifier aussi le rêve que deux amants ont caché à tout le monde, ce voyage secret à travers l'Europe.

Le lendemain, un autre événement «historique»! De nouveaux billets de banque viennent de remplacer les anciens. La population a eu vingt-quatre heures pour faire l'échange. Plongé dans ses archives, Oleg s'en est avisé trop tard. Il lui restait peu d'argent d'ailleurs. Des milliers de retraités, pas très vaillants pour jouer des coudes devant les guichets, ont perdu toutes leurs économies.

Cette arnaque financière n'est qu'un détail de la grande braderie post-socialiste. Pourtant, c'est à partir de ce jour-là qu'Oleg cesse de résister. «J'ai décroché», se dit-il. La formule recouvre tout ce dont il voudrait éviter le contact : la course effrénée des gens dans la rue, le bruit de la bétonneuse, les propriétaires ventrus des quatre-quatre, les programmes de la télévision (un expert démontre comment la réforme monétaire va sauver la Russie). Il voudrait aussi rompre le lien avec lui-même, avec ce «moi» prudent qui lui conseille d'aller retrouver sa place dans la ruée, de refaire des courts-métrages pour les nouveaux riches...

Et pourtant, il croit encore à une vie où une tsarine laisse son trône et part avec celui qu'elle aime. Où une femme regarde un grand arbre sous l'ondoiement neigeux de fin d'hiver.

Relire ces vieux livres n'a été qu'une tentative de retrouver sa jeunesse, il le sait. À l'époque où il écrivait son scénario, il avait vingt-six ans (Lessia, leurs journées sur les plages du golfe de Finlande...), et il vient de fêter ses quarante ans. Enfin, fêter... Un appel de Tania : «Alors, tu as réglé tes problèmes avec le grand banditisme ? Moi ? J'ai trop de travail, cette semaine... Je t'appellerai... Bon anniversaire quand même !»

Les nostalgies sont trompeuses. Les années du tournage n'avaient rien de merveilleux. Il se souvient des acrobaties que Kozine exécutait pour tromper la censure. À présent, leurs audaces dissidentes paraissent dérisoires. On peut tout écrire sur Catherine, voir en elle un monstre ou une humaniste, la montrer saillie par une horde d'amants – aucun CEAC ne ferait grincer ses ciseaux.

Cette liberté a un effet inattendu : elle enlève l'envie d'explorer sa vie. Une tsarine se débattant entre le pouvoir et le sexe, le tour est vite fait. Impensable désormais d'écrire un scénario où elle préparerait une fuite pour ne pas être celle que tout le monde croyait connaître.

S'il regrette ce passé, c'est pour la ferveur avec laquelle il rêvait de montrer cette autre Catherine...

Le passé, il le retrouve en allant vendre ses livres. La transaction est simple : un volume rapporte de quoi vivre une journée... Les heures sont immobiles au milieu des étagères croulant sous des couches de pages jaunies. La libraire semble ne pas avoir changé depuis le temps où il venait ici à la recherche de documents sur Catherine. Pâle, sèche, des cheveux retenus par un lacet qui ressemble au tissu déteint des marque-pages. «Les gens achètent maintenant surtout de belles reliures, explique-t-elle. Pour le plaisir des murs...» Oleg a souvent vu ce «plaisir des murs» chez les oligarques. L'un d'eux a, d'ailleurs, été sauvé par l'épaisseur des volumes au moment d'un attentat : il montrait à ses visiteurs une encyclopédie criblée d'éclats de métal...

De cette librairie hors du temps, Oleg va vers un autre lieu à l'écart du monde. Dans une ruelle derrière la cathédrale Saint-Nicolas-des-Marins, une épicerie arménienne où, depuis l'éternité, on vend le même genre de vivres. Des grosses olives très épicées, des concombres salés, du pain sans levain, de la viande séchée et ce cognac dans des bouteilles dont les étiquettes ont traversé, sans varier, toutes les guerres et les révolutions…

L'ivresse est lente, en vagues assoupies, et les tranches de viande séchée mettent du temps à révéler leur goût. Ses souvenirs survolent le fourré du passé sans plus s'accrocher aux mille ronces, rancunes, remords. Il sourit – une gorgée de cognac arménien l'aide à rester en aplomb de sa vie, en lévitation.

Des vestiges qu'il croyait engloutis émergent. Ce fragment que la censure a coupé dans le film de Kozine : Catherine parle des Russes. « Jamais l'univers ne produisit d'individu plus mâle, plus posé, plus franc, plus humain, plus généreux que le Russe… Naturellement éloigné de toute ruse et artifice, sa droiture, sa probité en abhorrent les ressorts… » Chez Kozine, cet éloge exubérant passait, en voix off, derrière les images des massacres pendant la jacquerie de Pougatchev. Les censeurs avaient deviné l'ironie cachée… Un autre souvenir – ce tertre de vingt mètres de haut qui se met à cracher du feu. La simulation du Vésuve lors d'une fête à Peterhof. Toujours ces échos italiens. Le théâtre de l'Ermitage est copié sur celui de Vicence. Toute une région entre Saint-Pétersbourg et Moscou se couvre de canaux pour devenir une « Venise russe ». Et ce *Barbier de Séville* de Paisiello que Catherine écoute en compagnie de Lanskoï…

Chaque soir, Oleg finit par retrouver ce couple d'amants! Ils reviennent pour lui rappeler l'engagement qu'il n'a pas tenu. Deux âmes en peine dont il n'a pas su calmer les tourments.

Il se reverse de l'alcool, espérant que ces fantômes vont sombrer dans une nouvelle gorgée... Non, ils sont toujours là – une nuit claire de juin, la chambre de Catherine luit dans une lumière bleutée. La tsarine est assise, nue, sur le bord du lit. Elle a dénoué ses cheveux, Lanskoï effleure cette chevelure et ce dos qui frémit doucement sous ses caresses...

La tendresse imaginée est si intense qu'Oleg ferme les yeux, égaré dans la beauté de cet instant de nuit. C'est cela que Kozine aurait dû filmer. C'est à des moments pareils que les amants se disaient leur envie de partir.

Il se hâte d'effacer l'écho de ce voyage rêvé. Une nuit de juin? Mais non! À la fin du mois de juin 1784, Lanskoï tombe malade. Les historiens proposent deux versions, pareillement tentantes pour les auteurs de romans. La première: Potemkine apprend le projet de Catherine d'épouser Lanskoï et décide de briser ce mariage. La seconde: cherchant à satisfaire les appétits sexuels de la tsarine, Lanskoï abuse des aphrodisiaques, de la poudre de cantharide surtout, or ces «mouches d'Espagne» sont préparées en Russie à base de vinaigre, ainsi, à la toxicité de la cantharidine s'ajoute l'effet ulcérant du breuvage.

Il y a dans cette mort une surabondance de fatalité, comme si l'Histoire avait voulu ne laisser aucune chance à Catherine. Au cas où le poison de Potemkine n'aurait pas été efficace, le destin prévoyait l'empoisonnement de Lanskoï par lui-même...

L'ivresse ne réussit plus à faire durer ce survol du passé. Oleg revoit une nuit de juin, les deux amants, leur tendresse. Et aussitôt – la mort.

Au bout d'un mois, cette vie perd son aspect méprisable qui le faisait souffrir au début. C'était le temps où il a essayé de reprendre pied dans la course. Le journal *No Comment* existait toujours, sauf que les photos des pauvres et des riches n'y étaient plus opposées les unes aux autres. Au contraire, chaque cliché dénonçant la misère était accompagné par un article vantant l'activité philanthropique d'un magnat...

Il a fait alors une tentative pour renouer avec la fabrication des films à la gloire des oligarques. Mais, dans ce domaine-là aussi, la situation avait changé. Les nouveaux riches ne souhaitaient plus exposer leur fortune – les documentaires les montraient en visite dans les hospices qu'ils finançaient. Filmer ces gangsters bienfaiteurs aurait été encore plus hypocrite que célébrer les bandits égoïstement heureux de leur succès.

Oleg a surtout compris que la bousculade de la nouvelle vie offrait une liberté de manœuvre limitée :

piétiner les autres ou bien se laisser piétiner. Pour un temps, grâce au cognac arménien, il parvenait à rester à l'écart de la cohue.

Un jour, se reconnaître « piétiné » lui devient égal. Un livre vendu, échangé contre un peu de nourriture et la torpeur de l'alcool, une suite familière de visions qui rend possible un chemin nocturne où avancent deux cavaliers... Il a le temps d'inspirer la fraîcheur de l'air dans l'allée qu'ils empruntent et... Et le réel déferle : le cavalier meurt, sa maîtresse redevient cette tsarine vieillissante aimant le pouvoir, les honneurs, la chair...
Ce manège d'ombres se termine dans un palais construit avec des petits bouts de bois – la maquette qu'assemblait son père. La douleur de ce rappel est vive, Oleg remplit un verre, l'avale en essayant de devancer le souvenir encore plus torturant : la table de nuit de sa mère, cette tasse, un petit collier de perles, un livre à la couverture usée... Et au milieu – ce vide où sa mémoire n'est jamais parvenue à placer un bibelot qui pourtant était bien là, reflété dans son regard d'enfant.

Le vide s'étend chaque jour, une tache blafarde recouvrant les visages aimés. Un reste d'orgueil le secoue parfois : moi, Oleg Erdmann, dans cette chambre sentant le linge sale et le tabac, moi, dans une file d'attente pour acheter une bouteille bon marché car le cognac de l'Arménien est trop cher, moi qui vends ma machine à écrire et qui la vois exposée, tel un objet préhistorique, dans la vitrine d'un magasin d'ordinateurs! Moi… Mais après tout, je fais partie de cette kyrielle de perdants qui vendent, dans la rue, les vestiges piteux de leur vie – une cuillère, une paire de chaussures, la médaille ternie d'un soldat…

Un verre d'alcool efface la honte, puis l'obligation de penser. Reste ce souvenir d'enfant qu'il emporte dans son sommeil. Sa mère lui caresse la tête, chante d'une voix berçante, en allemand, et il a le temps, avant de s'assoupir, de voir les objets posés sur cette table de nuit. Il les connaît par cœur : une tasse, un collier, un livre…

En marchant il découvre le degré de sa faiblesse – son essoufflement dans les escaliers du métro, puis une avancée harassante le long des rails. Le dernier sursaut d'énergie, un pari : s'il parvenait à atteindre l'immeuble-rocher de son enfance, sa vie reprendrait, lui redonnerait une raison pour courir, lutter.

La veille, il a mis un peu d'ordre dans sa chambre, a fait une lessive, n'a pas touché à la bouteille. Retrouvant les vieilles cartes de l'Europe, celles du «voyage secret» auquel il ne croit plus, il a voulu les envoyer à Eva Sander dont il a gardé l'adresse. Mais à cette idée, la sensation d'un éloignement cosmique l'a saisi.

Il s'est souvenu alors de Lourié, l'historien qui avait jadis soutenu son scénario… Le paquet avec les cartes est parti à ce destinataire-là et, en calculant son âge, Oleg s'est dit que Lourié était peut-être mort et donc se trouvait plus inatteignable que la galaxie lointaine où demeurait Eva…

Au premier moment, c'est son épuisement qui semble brouiller le tracé des rues, son itinéraire pour rejoindre l'immeuble-rocher. Les pâtés d'entrepôts et d'habitations vétustes n'existent plus. À leur place, une forêt de pilotis en béton, des clôtures de chantiers, des pans de murs qui exhibent l'intérieur d'une pièce, l'intimité éventrée d'une vie ancienne…

Il accélère le pas, craignant de découvrir la maison de son enfance tout aussi en ruine. Le souffle lui manque, l'air sent l'acier, les rejets âcres des tracteurs, la neige mêlée de boue. La venelle qui, autrefois, débouchait sur les voies ferrées s'est transformée en une coulée de terre. La lumière décline déjà. Tâtonnant au milieu des bouts de ferraille, il saute d'une plaque d'asphalte à l'autre. Les rails ont été enlevés, une tranchée large d'une vingtaine de mètres est creusée à leur emplacement – probablement un futur tunnel.

Enfin, à travers le hérissement de l'armature, il aperçoit l'immeuble-rocher : encerclé non plus par des convois de trains, mais par de hauts grillages qui délimitent le chantier.

« Il doit y avoir quand même un passage, se dit Oleg. Les habitants sont bien obligés de se faufiler quelque part... »

Contourner cette clôture devient un défi, il patauge dans la glace bourbeuse, perd haleine, ouvre son manteau, ne fait plus attention aux boulets d'argile qui empâtent ses bottes. Le grillage décrit une courbe, promettant à chaque tournant une échappée qui mènerait vers l'immeuble dont il voit les contours. Mais inexplicablement, ses fenêtres restent toujours derrière la grille... Le crépuscule engloutit le chemin, il trébuche, la vue embrumée de sueur, la respiration écorchée par le vent... Puis s'arrête, butant contre un amas de vieilles traverses, et, fourbu, s'assied – n'entendant plus que le cognement du sang dans ses tempes.

À ses pieds, derrière la clôture, s'ouvre une profonde excavation, un gouffre qui va accueillir les fondations d'un édifice. La nature des travaux est précisée sur une pancarte : « Habitation de prestige, du studio aux six-pièces, penthouses, piscines, parkings, salles de sports... » Il imagine les appartements qui se rempliront de confort, d'enfants, d'étreintes, de satisfaction repue. Tout cela posé sur un trou d'où vient l'odeur froide de la terre, du bois humide – de la tombe ! Mais ces habitants heureux ne le sauront pas. Ils ne verront pas non plus ces vieilles traverses sur lesquelles sautillait autrefois un garçonnet pressé de rentrer dans une mansarde à moitié occupée par une maquette de château…

Le retour est une fuite dans l'obscurité, dans la boue. Le chemin est barré de fossés, de gros tuyaux d'acier, de rouleaux de laine de verre… Ses yeux sont brûlés de larmes, celles du dégoût pour son incapacité à être autre que cet homme de quarante ans, aux pieds embourbés, au souffle qui lui descend dans la poitrine en un flux cuisant. Il voudrait pousser ce pantin à bout, le faire tomber, le mêler à cette terre souillée de vestiges de vies détruites. Ou bien l'assommer avec de longues gorgées d'alcool. Alors, pour quelques minutes, il pourrait vivre à l'unisson avec l'enfant de dix ans qui marchait en comptant les traverses, arrivait à l'immeuble-rocher, montait, se déshabillait pour se recroqueviller dans une petite baignoire en zinc, sous une coulée d'eau chaude.

L'immeuble-rocher, un petit baquet en zinc, un filet d'eau chaude, une mélodie sifflotée par son père... Le rappel de ce bonheur enfantin sera, pendant sa maladie, la seule réalité qui l'attachera à la vie.

Il voit passer un médecin, une femme âgée et dont il devine la fatigue. « Ils ne gagnent plus rien, ces médecins de quartier », pense-t-il à travers son hébétude, mais il n'a pas la force de la remercier ni de s'indigner. Il reste muet aussi devant Génia, sa voisine – non pas par ingratitude mais à cause de la toux qui l'étouffe. Elle lui apporte du bouillon, et il aperçoit alors ses trois enfants qui passent leurs têtes dans la porte, curieux de voir ce moribond que leur mère nourrit. Oleg se rappelle que, dans ses années de réussite, pas une fois il n'a pensé à Génia, oubliée dans cette caverne communautaire. L'idée lui fait plus mal que la brûlure dans sa poitrine.

Il y a aussi ce vieil homme que, malgré le brouillard de la fièvre, il reconnaît et dont le visage le fait, au début, pleurer. C'est Lourié, plus sec, plus pâle que celui qui, jadis, s'était opposé au Comité d'État...

Dans la torpeur de sa demi-vie, Oleg reconnaît la fraîcheur déjà printanière qui se dégage du manteau que Lourié accroche à la porte et la senteur légèrement fumée d'un thé qu'il prépare en faisant chauffer l'eau dans l'antique bouilloire de Zoïa...

Ces gestes fraternels sont des échos de la vie collective d'autrefois dont Oleg a toujours détesté la misère. Il en découvre maintenant l'ultime reflet : la solidarité humble et patiente des perdants.

Il est trop faible pour mener une conversation. D'ailleurs, Lourié parle peu, le remercie pour les vieilles cartes d'Europe (les «cartes de Lanskoï»), lui conseille de manger du miel. Le goût de ce miel se confond, pour Oleg, avec les mouvements de la vie qui renaît.

Un soir, encore à travers la somnolence de la maladie, surgissent ces ombres qui défilent sur le mur, face à son lit. Des hommes en redingote, des femmes en robes à panier... Oleg met un moment à deviner l'origine de ce théâtre de fantômes : Lourié a réussi à réparer la lanterne magique.

L'historien murmure des commentaires, d'une voix ironique et mystérieuse comme quelqu'un qui broderait un récit d'aventure. Sur le mur, on voit les silhouettes d'un homme et d'une femme couchés : l'abbé de Boismont dans les bras d'une duchesse. Soudain, ils entendent les pas du mari. «Faites semblant de dormir!» chuchote l'abbé. Le duc se dresse devant le lit de l'adultère. «Chut! lui ordonne l'abbé. Vous serez le témoin!» Le duc, ébahi: «Témoin? Mais...» L'abbé ne lui laisse pas le temps de réagir: «Silence! Je vous explique. Hier, la duchesse a prétendu avoir un sommeil si léger qu'une mouche pouvait le rompre. J'ai parié cinquante louis d'or, m'engageant à me glisser dans son lit sans faire fuir ses songes. Elle m'a ri au nez. Vous voyez bien que ma venue n'a point perturbé son sommeil.» Le duc soupire: «C'est un pari bien saugrenu...» L'abbé s'habille et, avant de partir, obtient que la duchesse ne soit pas mise au courant. Le lendemain matin, il revient, le duc témoigne de ce qu'il a vu la veille et, grand seigneur, paie cinquante louis au gagnant... qui l'a cocufié.»

Il y a eu, sans doute, d'autres histoires projetées sur le mur, mais c'est la première qu'Oleg saisit en entier, sans l'interrompre par ses quintes, la première qui le fait rire.

Les ombres reprennent leur manège. Juin 1770, la comtesse de Valentinois annonce à ses invités un dîner un peu particulier: à chaque nouveau plat, les convives ôteront une pièce de leur habit. Après le dessert, ceux qui se retrouveront nus s'adonneront aux plaisirs de leur choix... L'excitation gagne les commensaux, une douzaine de plats leur offrent la chance de rattraper l'effeuillement de celle ou de celui qu'ils convoitent. La crème caramel fait apparaître les beaux seins de la comtesse et sa nudité finale se révèle au même moment que la nature adamique d'une demi-douzaine d'hommes. Madame de Valentinois, à en croire un mémorialiste, « fit de sa chair un dessert bien plus savoureux que la crème à laquelle ces hommes venaient de goûter… ».

Non, Lourié ne cherche pas seulement à le dérider. Ces ombres rappellent à Oleg son ancien scénario sur Catherine. La tsarine observait la France avec un mélange fiévreux de jalousie, d'attirance, d'orgueil blessé. Paris était ce miroir où elle se regardait chaque jour, épiant les modes, les courants de pensée, l'art de séduire… Ses correspondants lui relataient la chronique mondaine de la capitale, ses agents secrets dévoilaient les intrigues qui se tramaient à Versailles. Quant au courrier diplomatique de l'ambassade de France à Saint-Pétersbourg, elle en prenait connaissance avant l'ambassadeur lui-même. Elle savait tout sur le tourbillon des favorites auprès de Louis XV, sur les adolescentes élevées pour le plaisir du roi au Parc-aux-Cerfs…

Sur le mur, un homme en perruque court après une silhouette féminine. Lourié commente : « On a tant jasé sur la concupiscence de Catherine ! Mais le penchant du vieux roi pour de très jeunes filles était-il vraiment plus moral ? Regardez ce personnage : Lebel, le valet

qui a "testé" la future maîtresse du roi, madame du
Barry. Toujours deux poids, deux mesures : dans le cas
de Catherine, on rougit – pensez donc, la comtesse
Bruce, l'"éprouveuse", évalue la vigueur des favoris !
Tandis que le "test" de Lebel est considéré comme un
joli exploit galant.»

Ce théâtre d'ombres ne cherche pas à dédouaner la
tsarine mais la replace dans l'Europe de son temps. Et
la quintessence européenne était, alors, française.

«Et là, ce gros monsieur, disons qu'il s'agit du
Régent. Il est en compagnie de madame de Parabère,
sa maîtresse, de l'archevêque de Cambrai et du fameux
financier Law. On apporte un papier que le Régent
doit signer. Or il est tellement ivre que la plume lui
échappe. Il la tend alors à madame de Parabère : "Signe,
putain." Elle décline cet honneur. Alors, à l'archevêque :
"Signe, maquereau." Celui-ci se désiste. Enfin, à Law :
"Signe, voleur !" Law se dérobe. Le Régent résume :
"Voilà un royaume bien gouverné : par une putain, un
maquereau, un voleur et un ivrogne."»

Lourié enlève les silhouettes en carton, éteint
la lanterne. «Ces anecdotes, c'était un peu le fond
politique de la vie de Catherine, comme aujourd'hui,
pour nous, le babil télévisuel. On se frotte les yeux
en voyant un Potemkine délaissant les affaires de
l'Empire à cause d'une gueule de bois. Quelle honte !
Or il connaissait bien l'anecdote du Régent qui se

moquait de lui-même. D'ailleurs, Catherine a été, un jour, informée d'un nouveau divertissement de l'aristocratie parisienne : la lanterne magique ! Mais oui, sauf qu'il s'agissait de plaques de verre où les peintres dessinaient des scènes licencieuses. Un cinéma érotique avant l'heure. L'une de ces séances, chez la marquise de Travenart, a fait scandale : sa lanterne projetait sur les murs de belles nues qui ressemblaient beaucoup à Marie-Antoinette… Avant de juger Catherine, il faut toujours se rappeler l'ambiance de cette apocalypse joyeuse… Allez, je vous laisse, voilà votre médecin qui arrive. Et mangez plus de miel, Catherine en raffolait. À demain. »

Un jour, Lourié lui parle du film de Kozine, de cette scène où, en flash-back, on voit Pierre le Grand qui assiste à l'exécution de sa maîtresse infidèle Marie Hamilton. Le tsar monte sur l'échafaud, soulève la tête qui vient d'être coupée…

« Le film fait de cette mise à mort le symbole de l'histoire russe. Pensez donc, Pierre Ier ramasse la tête coupée et l'embrasse sur la bouche ! Horreur ! Barbarie ! Sauvagerie slave ! Kozine oublie que Pierre ne s'arrête pas à ce baiser. Nous sommes au dix-huitième siècle et les sciences naturelles le passionnent. Après avoir embrassé ces lèvres qui commencent à pâlir, le tsar brandit la tête et explique doctement le fonctionnement des vaisseaux sanguins qui pendent du cou tranché. Oui, une leçon d'anatomie en plein échafaud!»

Oleg sent s'éveiller en lui une énergie de débatteur – l'argument de Lourié était là pour le provoquer:

«Attendez, mais c'est ce que Kozine a montré: notre histoire ne connaît que cela – la tyrannie et, en même temps, la soif de progrès scientifique. Des fusées cosmiques conçues par des savants que Staline enfermait dans des laboratoires-prisons! La violence plus l'utopie, recette très russe. Pierre le Grand l'a souvent pratiquée...

– Et que diriez-vous de cette autre exécution, perpétrée aussi au nom d'une utopie? Une femme reçoit un coup de sabre derrière la nuque et, à peine vivante, est forcée de marcher sur les cadavres des victimes qui l'ont précédée. On l'achève à coups de pique, puis on s'amuse à la déshabiller, à la laver pour mieux mutiler son corps. On enfonce l'une de ses jambes dans la gueule d'un canon, ses seins sont arrachés, son sexe réduit en bouillie. Enfin, on la décapite et sa tête, frisée par un coiffeur, est présentée à sa meilleure amie... Oui, vous l'avez deviné, il ne s'agit pas des mœurs russes sous Ivan le Terrible, mais des divertissements citoyens dans un pays hautement civilisé. C'est ainsi que Catherine, au soir de sa vie, apprenait la mort de la princesse Lamballe, l'amie de Marie-Antoinette. Donc, les Russes n'ont rien inventé. Dommage que Kozine n'ait pas évoqué ce miroir français où Catherine jetait des regards effrayés...

– Il le fait, dans les dernières scènes : la prise de la Bastille, les prisonniers libérés...

– Oui, sept détenus, en tout et pour tout. Sous Louis XVI, leurs repas comportaient trois plats et un choix de vins. Quelques années plus tard, dans l'enfer des prisons révolutionnaires, ce traitement aurait paru un doux rêve angélique. Quant à la prison où j'ai rencontré votre père, la fameuse Boutyrka de Moscou, nous étions plus de soixante prévenus tassés, debout, dans une cellule de huit mètres carrés. Tellement serrés les uns contre les autres qu'il fallait respirer alternativement, si j'ose dire : l'un inspirait, profitant d'un peu d'espace laissé par l'expiration du voisin. Bientôt, il ne restait plus une gorgée d'air dans ce cachot. Votre père a demandé à deux gars de le soulever et il a réussi à briser la vitre d'une lucarne sous le plafond. Sa main saignait beaucoup mais nous avons pu survivre. J'avais les membres moulus après les interrogatoires, votre père m'a laissé m'accrocher à son épaule. Plus de vingt-quatre heures de cette torture verticale... Et comme toujours, dans ce genre de situation, un peu d'humour noir. Sergueï Erdmann, votre père, un Allemand, était accusé d'être membre d'une organisation sioniste. Et moi – un agent des services d'espionnage allemands. Ils ont déniché ma correspondance avec un professeur de Tübingen... »

Lourié s'interrompt mais ses mains bougent un peu, comme s'il continuait à raconter à quelqu'un d'invisible cette vie ancienne qu'Oleg ressent soudain avec une douleur tranchante. Et il comprend qu'il a guéri, qu'il est de nouveau capable de partager la souffrance des autres.

Il se lève, va à la cuisine, prépare un thé. Dehors, une soirée de printemps, l'air bleuté, une bruine dorée par le couchant. Les enfants de Génia jouent à côté des quatre-quatre garés dans la cour. Une fenêtre s'ouvre, un homme au crâne ras pousse un hurlement. Ils s'enfuient… Le plus petit s'arrête, ébloui par un soleil tardif qui, en biais, s'est faufilé dans cette cour sombre.

En retournant dans sa chambre, Oleg voit Lourié courbé sur des cartes étalées sur le canapé. Les «cartes de Lanskoï»…

«Je ne voulais pas vous ennuyer avec ces histoires de prison, murmure Lourié. Mais c'est cette question qui m'a écarté de mon métier d'historien. À un moment, vers l'âge de trente ans peut-être, je me suis senti un peu idiot: je passais ma vie à consigner les bêtises et les atrocités que commettent nos chers frères humains. Enviable vocation! C'est alors que je me suis tourné vers l'étude de la circulation monétaire sous Catherine II. Sujet neutre, technique et qui me permettait de ne pas accabler la tsarine de tous les noms d'oiseaux qu'un bon historien soviétique était censé lui

UNE FEMME AIMÉE

dispenser : esclavagiste, autocrate, Messaline russe...
À la lecture de votre scénario, la question que je voulais
refouler m'est revenue dans toute son impertinence :
qui est coupable de ce flot de turpitudes pompeuses
qu'on appelle "événements historiques" ?
— Y a-t-il vraiment un coupable à désigner ?
— Oui. Nous.
— Vous voulez dire, l'humanité ?
— Non ! Nous — vous, moi, les penseurs, les historiens,
les artistes. Nous qui acceptons de voir en Catherine
cette caricature : une débauchée sur le trône, la séduc-
trice des philosophes français, le caporal en jupon...
— Il y a donc une face cachée qu'on cherche à gommer...
— Il y a juste ces cartes et leur mystère. Et des archives
qui attestent les préparatifs que Catherine et Lanskoï
ont engagés pour leur fuite. Mais surtout, si l'on croit à
ce projet, la vie de Catherine apparaît sous une lumière
nouvelle.
— D'accord, une vie inconnue. Mais comment Kozine
aurait-il pu la montrer dans son film, puisque aucun
historien n'en parle ? Moi non plus je n'en ai rien dit
dans mon scénario...
— Je ne suis pas un scénariste mais je commence-
rais ainsi : un début d'hiver, une ville allemande, un
équipage qui va partir. Devant le carrosse, un jeune
homme de vingt-quatre ans et une toute jeune fille

234

de quatorze ans. La future grande Catherine et son oncle, Georges-Louis, son premier amour. L'Histoire les sépare : la jeune fille ira conquérir le trône russe. Son bien-aimé part pour l'Italie. La neige, le bruit des sabots et, dans l'imagination amoureuse de l'adolescente, le chemin que Georges-Louis va parcourir, des vallées, des montagnes, des villages ensommeillés et, enfin, de l'autre côté des Alpes, le premier souffle du printemps italien. La lumière d'un pays qu'elle ne verra jamais durant son règne grandiose...

— Vous croyez qu'elle a gardé le souvenir de son amoureux ?

— Je crois même qu'elle a retrouvé cet amoureux quarante ans après – sous les traits d'Alexandre Lanskoï. Ce jeune officier russe, d'origine polonaise, ressemblait beaucoup à Georges-Louis : même blondeur, même taille, même âge. Cette fois, Catherine espérait vraiment partir avec celui qu'elle aimait.

— Mais pourquoi alors elle ne l'a pas fait avant ? Avec Potemkine, ou Korsakov...

— Pour une raison très simple : aucun de ses favoris ne l'a aimée. Ils s'attachaient à son pouvoir, à ses richesses. Lanskoï ne s'y intéressait pas... Georges-Louis a écrit, un jour, à la future Catherine II : "Une seule soirée sur les routes d'Italie vaudrait plus, pour nous, que les trônes de tous les royaumes de l'univers." Et il ajoutait : "*Die Zukunft wird zeigen...*" Oui, l'avenir le démontrera. »

Lourié se lève, remet son manteau. Oleg l'accompagne jusqu'à l'entrée.

«Cette version des faits doit vous sembler trop romantique. Mais les preuves existent – ces cartes, entre autres… Et puis, c'est en pensant à ces deux amoureux fuyant en Italie que j'ai réussi à survivre pendant huit ans de camp…»

Deux gardes du corps s'éjectent d'une voiture, bloquent le trottoir. Les passants, immobilisés, voient sortir d'un restaurant un homme serrant la taille d'une très jeune femme blonde. Oleg s'arrête aussi, attendant que ce personnage et sa compagne s'installent dans leur berline... La scène qui, il y a quelques années, aurait paru invraisemblable, ne surprend plus. Un homme riche, sa maîtresse juvénile, leur droit de couper le passage, les gorilles qui repoussent les curieux. Autrefois, il fallait être un dignitaire du Parti pour se permettre ces manières-là. Et encore... À présent, il faut juste avoir beaucoup d'argent. « Un changement historique », se dit Oleg. Pendant qu'il était malade, l'Histoire a engagé de nouveaux comédiens, a réécrit le scénario de sa farce... C'est le premier soir où il se promène sans plus rythmer ses pas sur sa fatigue. Ce retour parmi ses semblables, dans la tiédeur printanière, aiguise tout ce qu'il perçoit. Cet homme, habillé en play-boy, son amie – un visage d'adolescente aux lèvres gonflées d'une moue de mépris…

Avant de monter dans la voiture, l'homme tourne la tête… Oleg s'exclame avec une colère instinctive : « Jourbine, fils de chien ! Toi ? »

Un des gardes du corps bondit vers lui, mais déjà le « play-boy » fait volte-face et son expression blasée devient moins convaincante sous le regard d'un ancien camarade.

« Erdmann ! Alors, tu as reçu mes lettres ?… Comment ça ? Je t'ai écrit à l'adresse où tu habitais avec Tania… Ah bon ! Souvent femme varie… Allez, monte, je vais te déposer et comme ça, j'aurai le temps de t'expliquer… »

C'est ainsi, un peu coincé entre Jourbine et la jeune fille, qu'Oleg apprend l'existence d'un « méga-projet ».

Jourbine possède déjà plusieurs restaurants à Moscou et à Saint-Pétersbourg. Trois palaces sur le littoral de la mer Noire lui appartiennent partiellement. Son idée a la simplicité de tout ce qui est génial, prévient-il.

« Je viens d'acheter un studio de cinéma. Nous avons déjà produit deux excellents polars. Mais le public boude, les spectateurs préfèrent des criminels américains, tu sais bien. Il me faut donc une œuvre monumentale. Oui, une série à laquelle les gens s'accrochent, des gueules de stars qu'ils reconnaissent dans la rue. Pas seulement dans la rue – dans mes restaurants et mes hôtels! Tu as compris l'idée, Erdmann? Les spectateurs viendront dîner dans mes restaurants en espérant voir, à la table voisine, le jeune héros de la série. Et ils descendront dans l'un de mes palaces pour pouvoir dire qu'ils ont nagé dans la piscine où barbotait la Barbie du dernier épisode diffusé... Pas mal, non? J'ai juste besoin d'un grand sujet. Tu as travaillé, autrefois, sur la vie de Catherine. C'est elle que je veux! Non pas la momie qu'on trouve dans les bouquins d'histoire, non. Une Catherine dépoussiérée, une bombe qui nous explose à la figure!»

Oleg découvre que la nouvelle fortune de son ami est fondée sur nombre d'activités très diverses, allant de la vente de l'acier cémenté jusqu'à la pêche des anguilles dans les marais salants de la Caspienne. L'une des entreprises de Jourbine produit des sèche-cheveux, une autre – des réfrigérateurs, une autre encore, des meubles et de la literie. La dispersion n'est qu'apparente car les anguilles sont livrées aux restaurants de Jourbine, les sèche-cheveux vrombissent dans les chambres de ses hôtels, tout comme les frigidaires. Bref, les Chinois qui viennent acheter son acier dorment dans ses lits, mangent ses anguilles dans ses restaurants, sortent des cannettes de bière de ses frigos.

«Et bientôt, ils vont regarder les films lancés par tes studios, c'est ça?» plaisante Oleg.

Jourbine rit, content de pouvoir se détendre, de ne plus jouer au milliardaire agressif et dominateur:

«En plus, je viens de prendre des parts dans une grosse fabrique d'alcools, à Kiev...»

Cette expression «prendre des parts» revient souvent dans ses paroles. Oleg l'imagine divisé en dizaines de petits Jourbine, vifs, mobiles, changeant selon les fonctions à remplir, puis se ressemblant en un tout massif, protégé par des gardes du corps. Tout le monde dans ce nouveau pays est émietté entre plusieurs métiers, plusieurs statuts, plusieurs masques. Sous le faciès de boss qu'exhibe Jourbine, Oleg détecte parfois une faille : ce regard perdu, effaré et qui lui rappelle le chien que, enfant, il a vu s'échapper d'un fourgon où l'on entassait des animaux errants à abattre.

Cette vie éclatée cherche visiblement à se recoller dans un «méga-projet» de cinéma qui rendra à Jourbine le souvenir de ses années de comédien débutant.

La facilité avec laquelle la série est lancée laisse à Oleg une sensation d'ivresse, d'apesanteur. Aucun «CEAC» à consulter, aucune inquisition idéologique à subir. Absolue liberté ! Il en est presque troublé. La nouvelle vie, en compensation de sa brutalité, offre donc cet affranchissement... Pour faire un film il leur faudra juste un bon financement – l'acier cémenté et les anguilles y pourvoiront !

Avant qu'Oleg écrive le premier mot du scénario, les secrétaires de Jourbine recrutent une troupe de comédiens – après la ruine des studios d'État, le chômage sévit dans la profession. Oleg s'affole : ces anciennes têtes d'affiche sont prêtes à tourner dans un film dont on n'a pas la moindre ébauche. Jourbine le rassure : « Tu connais la vie de Catherine par cœur ! Fais un simple canevas, ça va suffire. Et n'oublie pas, c'est une série télévisée : on tourne et la semaine d'après, elle est sur les écrans. Mais si ! On n'est plus au bon vieux temps soviétique où il fallait dix tampons de censure sur chaque bout de dialogue. Vas-y, fonce ! Je ne veux pas qu'on se retrouve tous deux à traîner des carcasses de porcs ! »

Oleg ne sait pas si les encouragements de Jourbine le décomplexent ou bien, au contraire, l'inhibent. À contrecœur, il reconnaît que son ami lui donne la dernière chance de retrouver une place dans le tourbillon des temps nouveaux.

Il découvre qu'ils sont libérés non seulement de la censure mais aussi de l'étau imposé par la durée du film. Kozine avait une heure quarante pour raconter la vie de Catherine, lui – ce fleuve d'épisodes télévisés qui, en cas de succès, coulera sans fin. « Trois cents épisodes et demi, si tu veux, déclare Jourbine, se rappelant sa vieille plaisanterie. Hâte-toi lentement. Tire un épisode par semaine, mais ménage tes cartouches. J'espère que dans un an, Catherine sera toujours là, à galoper sur son cheval préféré, Orlik, et à se choisir des amants !

Demain, je t'attends avec le script des premières scènes.
Bon courage.»

Oleg sait par quelle scène s'ouvrira le film : une toute
jeune fille de quatorze ans voit un carrosse s'éloigner
sous la neige. La future Catherine II séparée de son
amour de jeunesse...

Jourbine lit les premières notes dans son bureau.
Oleg, à la fois anxieux et ému, promène son regard
sur le mobilier sombre, la profusion de statuettes, de
tableaux, de livres richement reliés. Tout ce qu'il voyait,
autrefois, chez les oligarques. Seul détail original – ce
grand aquarium où sinuent les fameuses anguilles des
marais salants... Sans interrompre sa lecture, Jourbine
propose :

«Mets une chaise devant la fenêtre, grimpe, tu verras
la flèche de l'Amirauté... C'est à couper le souffle, non?»

Debout sur la chaise, Oleg aperçoit la pointe dorée
de la flèche et, en baissant le regard, le grouillement
de la rue, cette vieille femme, à côté d'un kiosque, qui
compte des piécettes dans sa paume...

«Bon, Erdmann, descends, il faut qu'on parle
d'homme à homme.»

Jourbine quitte son fauteuil de directeur, invite Oleg
à s'asseoir sur un canapé en demi-cercle, leur sert du
whisky. Il aspire profondément, s'apprêtant à parler, mais
son portable sonne et sa mine sévère s'amollit, il susurre :

«Mais non, mon petit poisson, je ne suis pas avec mon comptable, je suis avec un vieux camarade… Oui, il est presque aussi génial que moi. Il va nous écrire un bon scénario… Oui, sur la tsarine, je t'ai déjà dit… Tu as raison, mon amour, c'est très difficile et pour l'instant, on rame, mais mon copain est un garçon très doué, je lui expliquerai et il fera un truc super bon, je t'assure, tu vas être collée à ton écran, ma petite anguille… Allez, je t'embrasse, à ce soir…»

Pendant quelques secondes son visage garde une expression radieuse et un peu bête. Oleg semble y voir le reflet de la jeune femme blonde de l'autre soir. «Si tu savais comme elle est mignonne…» Jourbine sourit, l'air attendri. Puis se reprend.

«Ton script, Erdmann, ça ne va pas du tout! Non, écoute, ces adieux chastes sous la neige, cette petite Catherine qui se pâme – les spectateurs vont zapper! Ils préféreront voir n'importe quelle connerie de jeux télévisés… Non, je ne suis pas un ignare total, contrairement à ce que tu penses. Moi aussi, j'ai lu des livres sur la jeunesse de Catherine et je sais que, gamine, elle était déjà obsédée par le sexe. Mais je n'invente rien, c'est dans ses *Mémoires*, je les ai là, sous mes yeux! C'est écrit noir sur blanc: elle se mettait un oreiller entre les cuisses et cavalait, se débattait, s'excitait jusqu'à l'épuisement. Et tu veux nous faire croire qu'avec son oncle Georges-Louis, elle lisait des contes pour enfants de chœur? Elle couchait avec lui, c'est évident, oui, à quatorze ans, et alors ? Elle l'aimait charnellement, avec toute sa fièvre de future nymphomane. C'est ça qu'il faudra filmer ! Sinon tu feras du Kozine – un truc à la soviétique où la lumière s'éteint quand les amants commencent à s'embrasser. Non, mon vieux, le Comité d'État, c'est fini ! Désormais, si les héros s'embrassent, ça va jusqu'à l'orgasme. Et pas de *coitus interruptus*, s'il te plaît ! »

L'envie de se lever, de claquer la porte est vive mais Oleg reste, n'argumente pas, écoute. Il devine que tout n'est pas faux dans ce que dit Jourbine. Oui, jadis, la censure les obligeait à sacrifier les scènes qui, de près ou de loin, touchaient à l'acte charnel. Pourquoi, à présent, les éviter ?

Il parvient presque à s'en convaincre. Et puis, soudain, il comprend ce qui l'a retenu. Le jour baisse, Jourbine allume une lampe. Oleg remarque que les cheveux de son ami ne sont plus roux mais gris et que parfois dans son regard autoritaire passe une ombre de détresse, comme dans les yeux de ce chien errant échappé à l'abattage.

Il réécrira le premier épisode : une minuscule principauté allemande dans son ennui luthérien, une princesse précocement éveillée, ses ébats dans les bras de son oncle et soudain – cette lettre venant de Russie ! L'appel du destin. L'impératrice Élisabeth invite la jeune amoureuse à la cour de Saint-Pétersbourg.

La diffusion donne lieu à une audience plus que respectable. «Notre petite Catherine s'est taillé une bonne part de gâteau télévisuel! se réjouit Jourbine. Tu vois, je n'ai fait que suivre les préceptes de Lénine: l'art doit être accessible aux masses populaires... Rendez-vous demain, on parlera de la suite.»

Leurs entrevues se passeront toujours de la même façon: le texte que Jourbine lit avec des soupirs de dépit, une prise de bec où Oleg se voit traiter d'intellectuel sans tripes et Jourbine – d'oligarque au cerveau confit dans la graisse. Enfin, après trois verres de whisky, une réconciliation, basée autant sur leur ancienne camaraderie que sur cette certitude: Jourbine sait qu'Oleg seul pourra, en quelques jours, donner à ce fatras de scènes la logique d'un récit, Oleg admet que le cerveau de Jourbine, même «confit», leur permet de garder le sens des réalités économiques, oui, toujours ces «parts de marché» dont dépend la survie de leurs personnages sur l'écran.

La surprise vient surtout des comédiens: Oleg les trouve incroyablement disciplinés, dépourvus de caprices. Sur le plateau de Kozine, il s'en souvient, régnait un laisser-aller pittoresque, les actrices fondaient en larmes, dénonçant les exigences «tyranniques» du réalisateur, les acteurs s'emportaient, jetaient leur perruque par terre, menaçaient d'abandonner le tournage. Et dans

les intervalles, on entendait des quolibets, des taquine-
ries, des rires qui visaient tantôt le gros «Potemkine»
incapable de monter sur son cheval, tantôt «Catherine» trébuchant au pied de son trône... À présent,
rien de tout cela : ils travaillent vite, font exactement
ce qu'Oleg leur demande, évitent d'improviser. La
tension est perceptible. On devine qu'ils s'épient les
uns les autres, conscients de la chance d'avoir trouvé
un film où jouer, angoissés à l'idée qu'on pourrait les
remplacer, les repousser vers le chômage où croupissent
tant d'anciens confrères. «Liberté de la création artistique...», se dit Oleg, ne réussissant pas à se défaire
d'un malaise sournois.

La jeune Catherine et l'un de ses premiers amants,
Saltykov, ne renâclent pas devant ce que leur propose le
scénario : un accouplement sauvage sur une île, dans une
maison de pêcheur battue par les vagues de la Baltique.
La séquence est improbable, n'importe quel biographe
le dirait. Mais ils s'exécutent, acceptant d'être filmés
nus, imitent une jouissance bruyante, combative...

C'est Jourbine qui veut cette scène. Oleg s'y oppose,
cite les historiens : ce voyage sur une île, sous une pluie
glaciale, n'était pas fait pour une passion volcanique.
«Laisse Saltykov faire un brin de cour à Catherine. Ils
passeront à l'acte plus tard...» La réponse tombe, annonçant l'idée même du film : «Erdmann, les spectateurs
ne vont pas attendre l'orgasme de Catherine jusqu'au

vingt-cinquième épisode. Il leur en faut un maintenant! Et dans le vingt-cinquième, rassure-toi, il y en
aura d'autres. Sinon, ils vont regarder la série télévisée
d'une autre chaîne. Oui, mon vieux, aujourd'hui, l'art,
c'est aussi simple que ça.»

Ils s'empoignent dès le lendemain: en plein coup
d'État, Catherine se réfugie dans une auberge sur la
route de Saint-Pétersbourg. Les places de couchage
manquent, elle dort serrée contre sa juvénile amie,
la princesse Dachkova. Jourbine se frotte les mains:
elles vont avoir une relation charnelle! Oleg se rebiffe,
dément la légende de la bisexualité de Catherine, finit
par se sentir un pudibond soviétique. Pour éviter le
moralisme, il invoque la physiologie: Catherine est
enceinte. Jourbine riposte: on ne montrera pas son
ventre! Oleg s'accroche: l'auberge est pleine de soldats...
Tant mieux, l'intimité des deux filles n'en sera que plus
piquante! Enfin, Oleg abat sa dernière carte: cette
nuit-là, tous les historiens le disent, Dachkova était
très enrhumée... La logique de Jourbine le laisse muet:
«À ton âge, Erdmann, tu devrais savoir que jamais un
rhume n'a empêché deux nanas de s'envoyer en l'air!»

La sidérante bêtise de l'assertion procure à Oleg un
vague soulagement. Jourbine ne falsifie pas les faits
de l'histoire, mais les grossit, les souligne au charbon,
il veut que tout soit montré. La comtesse Bruce teste
pour Catherine les futurs favoris? Eh bien, sur l'écran,

on verra les fameux Bains maures, une femme nue qui excite un jeune homme, saisit son sexe pour évaluer sa force virile, se dérobe à ses étreintes, jusqu'à ce que, n'y tenant plus, il se jette sur elle et la prenne de force, oubliant la tsarine...

Après cet épisode, diffusé dans la première semaine de mai, leur série est saluée par un long article dans une revue de cinéma. La même où, autrefois, travaillait Lessia, note Oleg.

Oleg ne remarque pas le moment où son travail devient du «stakhanovisme cinématographique», comme dit Jourbine. Il s'arrange pour filmer plusieurs épisodes à l'avance, ainsi il a le sentiment de ne pas écrire sous le couperet du programme télévisuel de la semaine.

Au mois de juin, leur série monte à la troisième position sur la liste des programmes les plus regardés... Un matin d'hiver, Catherine se lève bien avant le jour, à son habitude, et devant le poêle qu'elle voudrait rallumer croise un géant, chargé d'une brassée de bûches. «Qui êtes-vous?», la tsarine vouvoie tous ses domestiques. «Chauffeur des poêles de Votre Majesté, ma petite mère impératrice», répond le géant par cette appellation cocasse mais historiquement exacte. «Ah oui, allez-y, chauffez, il fait si froid ce matin!» L'homme fait partir un grand feu, vérifie le tirage, s'apprête à s'en aller. Catherine le retient: «Attendez, mais je grelotte!»

Il rajoute plusieurs bûches, les flammes rugissent, le poêle est brûlant. «Je suis glacée! insiste la tsarine. J'ai besoin de chaleur...» Le préposé écarte les bras, désespéré et soudain devine. Il attire vers lui cette femme qui fait semblant de frissonner... Au premier orgasme, elle l'appelle «mon lieutenant». Au deuxième, «mon capitaine». Enfin, au troisième, comblée, elle lui annonce son grade de colonel, son anoblissement et l'octroi d'un domaine sur des terres arrachées aux Turcs. Il portera le nom de Teplov, monsieur Lachaleur...

Jourbine simule le repentir: «Pardon, Erdmann! Je sais, cette matinée dans les bras de Teplov n'est qu'un vieux bobard. Mais... D'abord, certains biographes le racontent, donc... Eh oui, *se non e vero*... Tu veux un bonbon? À base d'églantine, excellent pour la gorge... Ce poêle dans le film, c'est un "hollandais": de beaux carreaux de faïence avec de jolis dessins dessus. Exactement le même modèle que mon usine va commercialiser. Tu sais combien nous avons reçu de commandes après la diffusion de notre feuilleton? Plus de cinq mille! Et on est en plein été. Imagine une rediffusion, vers le mois de novembre!... Mais non, ton film n'est pas une vulgaire publicité! Le film, c'est comme ce bonbon. C'est à nous d'ajouter de l'églantine ou du caramel... Ou bien un poêle. Tu voudrais un "hollandais" pour ta villa? Comment ça, tu n'as pas de villa? Ha, ha, je blague. Attends un peu, au cinquantième épisode, tu t'achèteras un petit château.»

Cette conversation marque une étape : Oleg découvre qu'il s'est laissé intégrer dans la nouvelle vie. Le scénario ne lui laissait pas le temps de s'en apercevoir. Mais les faits sont là. Il gagne beaucoup d'argent, loue un bel appartement à deux pas de la Nevski et, trois mois auparavant, Tania est revenue vivre avec lui. C'est elle qui l'a appelé pour le féliciter de son succès, affirmant que leur série télévisée était «un peu kitsch mais pas déshonorante». Il finit par le penser lui-même.

Son retour dans la vie des autres est passé inaperçu grâce à la grande habileté de Jourbine qui a toujours fait semblant de ne rien prendre au sérieux – ni ses usines aux quatre coins de la Russie ni ce film : «Un bon divertissement pour les prolétaires exploités par les capitalistes de mon espèce, disait-il. Le cannabis du peuple…» C'est ainsi qu'il a endormi les réticences d'Oleg : «Il faut voir tout ça au second degré, Erdmann. On n'est pas là pour secouer la poussière des archives. Les spectateurs vont éternuer, attention !» Oleg se résignait, reconnaissant que ce qu'il filmait n'était certainement pas pire que d'autres séries télévisées. Jourbine constatait, rigolard : «Chez nos concurrents, il y a dix meurtres par épisode, chez nous, autant de coïts. Faites l'amour, pas la guerre, ha ha…»

La rapidité avec laquelle il fallait tourner ces épisodes hebdomadaires débranchait la conscience – «un sang-froid de vrais professionnels », préférait penser Oleg.

À la fin du mois de septembre, cette lettre venant de Suède... « C'est Bergman qui t'écrit, il a besoin d'un conseil », plaisante Tania. Une carte avec la vue d'un fjord, une écriture allongée... Un mot de Lessia! « Je suis ravie que ton film ait tant de succès et que ton rêve se soit enfin réalisé. » Oleg ne comprend pas si ces paroles expriment une louange ou bien une raillerie. « Mon rêve... » Malgré la brièveté de la missive, on y sent un regret – celui de ne pas connaître la nouvelle réalité russe, son odeur âpre d'aventure. Sur l'image du fjord, une fléchette tracée au stylo : la maison où la famille passe ses vacances, une rive verdoyante, tout est beau, l'air est pur, la paix et l'aisance règnent... Mais la vraie vie est ailleurs, doit se dire Lessia, dans ces villes russes où elle a laissé sa jeunesse, un monde où elle a l'impression de ne pas vieillir...

Le lendemain, tôt le matin, il part pour Peterhof. Une salle a été louée pour une demi-journée de tournage, chaque minute compte. Il se rappelle les longues semaines pendant lesquelles Kozine disposait de toute une aile dans ce vaste palais...

Il gare sa voiture, traverse le parc figé dans une pâleur laiteuse. Pour les séquences d'extérieur, c'est raté, trop de brouillard. Bon, on filmera dans une galerie ou dans un salon, quelle importance ?

Le silence des grands arbres, la dorure mate des feuilles, la senteur de la Baltique toute proche. Et cette allée qui se déploie lentement et donne l'impression qu'on peut la suivre infiniment. Une silhouette qu'il remarque au loin lui fait ralentir le pas. Le souvenir est bien plus vivant que le présent. Le même parc, le blanc argenté du givre et, encore inconnue, une femme qui avançait, toute seule dans ce royaume endormi. Eva Sander... Oleg se secoue, reconnaît ses comédiens qui émergent, çà et là, du brouillard. Ils sont tous bien à l'heure, une discipline quasi militaire qui leur permettra, après ce tournage, de courir sur un autre plateau, de jouer dans un clip de publicité...

Et voilà, c'est parti : Catherine s'étonne du manque d'entrain que son favori Zoritch manifeste dans l'amour. Le jeune homme invente des maux imaginaires, s'embrouille et, enfin, se jette aux pieds de la tsarine pour avouer : il en aime une autre...

Oleg interrompt le tournage : « On reprendra demain, on ne peut pas filmer avec ce brouillard dans le parc... » Les comédiens ramassent leurs baluchons, partent sans récriminer.

Une heure plus tard, il retrouve Jourbine dans son bureau. Pour couper net à tout compromis, il lance d'une voix presque menaçante :

«Ivan, je m'arrête là. Engage quelqu'un d'autre. Moi, cette Catherine de grand bazar, c'est terminé!»

Il remarque soudain un visiteur qui se tient à côté de la porte. Jourbine est debout, un colis ouvert dans les mains. D'un geste vague, il invite Oleg à s'asseoir, puis s'adressant à l'homme: «Bon, Sacha, fais comme d'habitude, une plainte à la police, rien aux collègues pour ne pas les inquiéter...»

Sacha sort, Oleg reprend son offensive:

«Il vaut mieux qu'on en reste là, Ivan. Ça devient n'importe quoi! Catherine n'a jamais accusé Zoritch de défaillances sexuelles. Et lui n'a jamais annoncé à Catherine son intention d'épouser l'une de ses demoiselles d'honneur. Cela arrivera plus tard, à Mamonov, en 1789. Et nous sommes en 1778...»

Il s'attend à une riposte, une salve d'arguments. Mais Jourbine réagit mollement, comme par acquit de conscience:

«Je pensais qu'on était d'accord sur cette scène. Et puis... Tous les amants de Catherine la trompaient. Alors, Zoritch ou Mamonov, quelle différence?

— La différence est que demain je dois filmer cet hybride de Zoritch et de Mamonov dans les bras de son épouse. Et tu connais la suite: les sbires de Catherine violent la jeune mariée sous les yeux de son mari ligoté. C'est un mensonge total mais...

— Mais tu as accepté de le mettre dans le scénario...

– Eh bien, je ne l'accepte plus!»

Oleg se lève, dominant son ami courbé dans son fauteuil de boss. Les arguments de Jourbine sont faciles à prévoir, les mêmes qu'à leur précédente dispute: le film ne peut pas se faire sans ces images chocs, la poussière des archives n'intéresse pas le large public...

Jourbine se tait, l'air absent, les mains lissant le papier kraft du colis. Surpris par ce manque de réaction, Oleg se penche pour voir le contenu du carton...

«Ça alors! Quel cadeau!»

Il pousse un sifflement tant la vue de cette poupée de chiffon est frappante. Un jouet à l'ancienne que Jourbine extrait du paquet d'un mouvement un peu hésitant. La poupée est éventrée et le bourrage de coton est coloré de rouge...

«J'en reçois plusieurs chaque mois. D'habitude, des oursons déchirés, avec mon nom écrit au feutre. Le rouge, c'est de la peinture, mais il y a eu aussi, un jour, du sang. Là, ce n'est plus mon nom qui est écrit mais celui de ma fille...»

Il parle sur un ton monocorde, les yeux baissés vers le colis. Son mariage, la naissance d'une enfant un peu... Sa voix trébuche. Non pas «débile», lâche-t-il avec aigreur, non, elle a juste un regard décalé, aucun sens du danger, aucune conscience que les gens ne sont pas, tous, emplis de bonté... Sa femme est morte il y a deux ans, fauchée par une voiture. Non, rien de suspect, apparemment. Quoique…

«C'est cela qui est le plus dur à présent. On peut s'attendre à tout, à tout moment, venant de tout le monde. Et cette poupée, je ne sais pas où ils l'ont trouvée, elle est très vieille, ma sœur en avait une comme ça du temps de notre enfance…»

Il repose la poupée dans le carton, se met à enrouler le papier, comme s'il voulait en cacher le contenu. Le téléphone sonne, Jourbine change de voix à mi-phrase: «Qui?… Oui… Mais… bien sûr, cher ami, je suis à vous dans une minute…»

Oleg se hâte de poser la question qu'il aurait dû, il le sait, poser bien avant:

«Pourquoi alors ce film, Ivan? Pour vendre tes poêles "hollandais"? Une page de publicité suffirait…»

Jourbine toussote, essaie de sourire:

«Ça va te faire rire, mais j'espérais passer un message. Dans ce nouveau pays où personne ne sait plus de quoi les hommes sont capables, où ils peuvent menacer une enfant, la tuer, une enfant comme ma fille, plus fragile encore que les autres… oui, je me disais qu'il fallait montrer que tout avait été déjà expérimenté: la violence, la richesse, le sexe, le pouvoir… Catherine l'a essayé au maximum: les guerres, l'autorité, la chair. Ce n'est pas nouveau, la catharsis. Oui, le spectateur qui verra cette comédie de la cruauté et du désir comprendra que c'est une voie qui ne mène pas à grand-chose. Une tsarine a une armée d'amants, le plus gros morceau de la planète lui appartient et elle meurt dans l'indifférence, au pied de sa chaise percée… Je croyais que les gens auraient un déclic : voilà, il y a cette vie où l'on peut tuer, jouir, dominer et tout ça c'est du vide car il faut chercher autre chose…

— Mais quelle "autre chose", Ivan ?

— Je pensais que toi tu saurais… »

Une secrétaire passe sa tête dans la pièce, chuchote le nom d'un visiteur. Oleg prend congé, s'en va. Dans le métro, il se dit que la prochaine fois, il faudra absolument parler à Jourbine des vieilles cartes où Catherine et Lanskoï avaient tracé l'itinéraire d'un voyage secret.

L'épisode racontant le viol de la jeune mariée est diffusé une semaine plus tard. Des images âpres, la nudité filmée dans une rapide alternance de lumière crue et d'ombres de soldats. À un moment, la caméra découpe un instant : au milieu des coussins, une poupée de chiffon avec son sourire triste…

La série se hisse à la deuxième place sur la liste des programmes les plus regardés, devancée juste par le feuilleton argentin *Les riches pleurent aussi*. Jourbine évite de féliciter Oleg pour ce succès.

Oleg rejoint Lourié dans une petite cantine de quartier qu'il met un moment à reconnaître. Justement parce que ce lieu n'a pas changé. Tous les restaurants se sont mis à la mode qu'on croit occidentale, étalage d'un «design» – tantôt froid et métallique, tantôt surchargé de velours grenat, de miroirs. Ici, on sert toujours ces raviolis que tant de fois il a mangés en compagnie d'Eva Sander, après leurs errances…

«Et à des prix encore abordables pour nous autres, les naufragés du paradis communiste, murmure Lourié en lançant un clin d'œil à Oleg. Bien que… Dans votre cas, il s'agit d'un passage très réussi vers le capitalisme. Bravo! J'ai regardé plusieurs épisodes de votre film, un bel exemple de la récupération du passé historique par la culture de masse…»

Oleg repose sa cuillère, pousse un soupir, essaie d'éviter le regard souriant de Lourié.

«J'ai vraiment honte! Mais… Je n'avais pas le choix.

Jourbine, mon producteur, n'est pas un… Tarkovski.
Le cinéma, pour lui, doit être rentable, donc plaire au
plus grand nombre. Bien sûr, je n'aurais pas dû filmer
ce viol. La réputation de Catherine est déjà lourde à
porter. Mais comment montrer la vraie histoire quand
elle manque de relief?»

Lourié acquiesce d'un air à la fois ironique et compré-
hensif.

«Mangez, sinon vos raviolis vont être froids. Quant
à la "vraie histoire", comment montrer ce qui n'existe
pas?»

Oleg croit avoir mal entendu.

«Non, je voulais dire, l'histoire qui s'est réellement
déroulée…

– Personne ne sait ce qui s'est "réellement déroulé".
On connaît des faits, des dates, des protagonistes. Les
historiens proposent des interprétations. Certains se
prennent pour Dieu le père et exigent que leur vision
soit reconnue comme irrécusable. Dans ma jeunesse,
je voyais dans la révolution d'Octobre une libération
définitive de l'homme! Depuis, on a tellement réécrit
1917… L'horreur absolue pour les uns, une promesse
de paradis pour les autres. Il y a peut-être dans ce ciel
d'automne un dieu qui a lu les pensées de Staline
pendant que celui-ci signait des listes de personnes à
fusiller. Peut-être… Mais nous, pauvres mortels, nous
sommes réduits à conjecturer. La guerre de Sept Ans

a-t-elle commencé parce que Frédéric II avait surnommé son chien "Pompadour"? Élisabeth voulait-elle punir ce Prussien arrogant? Marie-Thérèse convoitait-elle je ne sais plus quel morceau de Bohême?

– C'est que, dans le film, j'invente carrément des scènes, comme l'envoi par Catherine d'une escouade de violeurs...

– Vous faites une œuvre de fiction... Je suis tombé, un jour, dans un vieux roman, sur une erreur gravissime. Enfin, elle me paraissait telle puisqu'elle concernait la circulation monétaire, mon dada d'historien. Au milieu du quinzième siècle, quelque part à la frontière entre la France et l'Espagne, le héros déterrait un coffre rempli d'or. L'auteur précisait qu'il s'agissait de doublons espagnols. Quel idiot! Ces doublons, pièces d'or doubles, allaient être frappés bien plus tard, après le pillage des richesses des Incas par les conquistadors – l'or devenant abondant, les Espagnols pouvaient se permettre cette monnaie plantureuse. Je bouillonnais de colère, puis j'ai fini par le reconnaître : pour les lecteurs, ces mystérieux "doublons d'or" sont bien plus excitants qu'un simple tas de pièces, pareilles d'un roman à l'autre...

– Pourquoi alors filmer l'histoire? On a fait, au bas mot, une trentaine d'épisodes! Des guerres contre les Turcs, les Polonais, les Prussiens, les Persans, des révoltes paysannes, des langues coupées, des complots... Et cette alcôve qui commence à me donner le tournis.

Je confonds mes comédiens, nous sommes obligés de travailler si vite... À quoi bon cette mascarade?

— Vous venez de répondre : pour montrer à quel point la mascarade de l'histoire est vaine. Pour faire comprendre aussi qu'il existe une vie au-delà de ce cirque...

— Vous voulez dire la fuite que préparaient Catherine et Lanskoï ? Sauf qu'il y a très peu de preuves...

— J'ai déniché dans mes très anciennes notes une preuve... monétaire, si j'ose dire. Oui, toujours mon penchant numismatique. Au printemps 1784, Lanskoï fait l'inventaire de sa collection de monnaies, tous les biographes parlent de cette passion. Mais, à en juger par le registre, il a surtout réuni les devises en circulation dans les pays que nous avons vus sur vos vieilles cartes : la Pologne, les principautés allemandes, l'Italie. Sans être visionnaire, on devine qu'il s'agissait de l'argent qui allait servir à payer les frais d'un voyage. Désolé de montrer l'envers financier de ce beau rêve mais le détail est révélateur : ils voulaient voyager incognito, les pièces d'or russes les auraient trahis... »

Avant de s'en aller, déjà dans la rue, Lourié murmure sur le ton d'un encouragement un peu mélancolique : « Avant, il fallait tromper notre chère censure soviétique pour introduire dans le film des pensées dissidentes. Maintenant, la censure est commerciale. Utilisez nos vieilles méthodes – dans cette série qui doit divertir les masses, vous trouverez toujours un instant pour dire ce qui vous paraît essentiel. C'est même plus exaltant que notre combat contre le CEAC, vous vous rappelez?»

Un instant qui dira l'essentiel... Oleg l'imagine avec une grande simplicité: une nuit claire, au début de l'été, une route à la sortie de Saint-Pétersbourg, les silhouettes de deux cavaliers, le bruit mat des sabots.

La conversation avec Lourié le libère, Oleg n'a plus à faire la guerre à Jourbine. Encore un favori dans l'alcôve, encore des Russes et des Turcs qui s'étripent, encore un dîner chez Potemkine et ses maîtresses qui, avec leurs cuillères, puisent des gemmes dans des vases de cristal, oui, ce dessert que le prince a payé sur les cent mille roubles reçus du nouveau favori…

Le film voulu par Jourbine étale les aspects les plus racoleurs de l'histoire. Mais pas de mensonges gratuits. Les livres parlent de la princesse Golitsyne, une débauchée qui exhibe trois cents grenadiers à son tableau de chasse. Son cas est d'habitude cité en bas de page, Jourbine, lui, exige une scène entière : mélange d'uniformes bâillant sur des poitrails poilus, de nudités transpirantes, de sabres décrochés fébrilement, de bruits d'éperons, de soufflements rauques…

Après le bal, l'impératrice Élisabeth, pour se dévêtir plus vite, fait découper sa robe. Dans le film, le tissu cisaillé s'ouvre sur un corps exubérant, aux grands seins lourds. Sa hâte se mêle au désir qu'elle a de rejoindre ses amants. Les ébats sont filmés à travers les trous pratiqués dans une porte et auxquels deux adolescents collent leur œil : le futur Pierre III et Catherine.

Pierre se découvre homosexuel. L'admiration qu'il voue à Frédéric II n'est donc pas militaire mais amoureuse et c'est elle qui le pousse à sauver Frédéric malmené par les « trois jupons » dans la guerre de Sept Ans…

Oleg ne discute plus, adopte un style le plus direct possible, « au bazooka », dit Jourbine. La rapidité du tournage révèle ce qu'une caméra perfectionniste aurait dissimulé : l'histoire, elle aussi, se fait au bazooka, dans l'invraisemblable bouffonnerie de ses contorsions. Jourbine veut que les spectateurs apprennent la cause de l'impuissance de Pierre III – le phimosis. « En gros, son prépuce étrangle le gland de son zizi… », commente-t-il en imitant le bafouillis d'un enfant. Les amis de Pierre, parmi lesquels Saltykov qui le cocufie, implorent à genoux le futur tsar de se faire opérer. Saltykov est le partisan le plus ardent d'une telle circoncision – il vient d'engrosser Catherine et se voit déjà envoyé en Sibérie. Opéré, Pierre pourrait être reconnu père…

La scène accentue l'humour bouffon de ce qu'on appelle la grande Histoire. Une bande de copains embrouillés dans leurs coucheries, un jeu de potaches, un vaudeville qui va bientôt donner lieu à des coups d'État sanglants, des trahisons ignobles, guerres, tortures, exils…

L'épisode remporte un gros succès, approchant l'audience de la série *Les riches pleurent aussi*. Le mot « phimosis » connaît une brève gloire, surtout pour désigner le peu de virilité chez un homme. Oleg entend plusieurs fois le juron « espèce de phimosis » que se lancent des adolescents bagarreurs. « Notre cinéma instruit le peuple », déclare Jourbine en riant.

Bien sûr, il y a de l'esbroufe, du tape-à-l'œil costumé, de l'érotisme brutal mais Jourbine sait capter, dans ce grand cirque de l'histoire, des nuances cachées. L'impératrice Élisabeth, méfiante et vindicative ? Jeune, elle est méprisée par la cour de la terrible tsarine Anne. Un soir, avec une anxieuse ferveur de débutante, elle se rend à un grand dîner. Sa robe, son unique habit de fête, va émerveiller les invités ! Elle entre dans la vaste salle illuminée… Un moment de silence et c'est un déferlement de rires : le tissu de la nappe est le même que celui de la robe d'Élisabeth ! Ses ennemis se sont renseignés auprès de sa couturière… Plus tard, montée sur le trône, elle disposera de quinze mille robes et, après chaque bal, on découpera sur elle son habit somptueux. La comtesse Lopoukhina qui avait choisi le tissu de la nappe aura la langue tranchée…

Sans doute, en cachette, Jourbine lit, potasse les biographies, réfléchit, tout en jouant au dilettante. Il propose que les assassins de Pierre III soient à moitié nus. La vision n'est pas sans raison : ces hommes musclés écrasent sous leurs corps un tsar réputé homosexuel – une confusion voulue entre la violence de la tuerie et l'aspect sexuel du combat.

« Ils l'ont assassiné le 28 juin, il fait chaud en cette saison, c'est pour cela qu'ils se sont déshabillés », ajoute Jourbine, feignant la naïveté. Et c'est lui qui conseille à l'actrice qui interprète la tsarine de se comporter, dans les scènes charnelles, avec une vigueur mâle : « Mais oui, Catherine choisit ses amants, elle les domine par son intelligence, mais aussi par son appétit sexuel… »

Oleg finit par accepter même les incessants flash-back que Jourbine impose. Tantôt c'est Pierre le Grand qui surgit, soixante ans après sa mort, en embrassant la tête coupée de sa maîtresse. Tantôt c'est Anne qui fait construire d'immenses châteaux de glace où elle enferme les courtisans punis. Jourbine déniche ces scènes au cours de ses lectures et il faut, en catastrophe, les introduire dans le scénario : ses revenants apparaissent dans un flou grisâtre de souvenirs… Au début, Oleg grince des dents puis se dit que ce fourre-tout est moins grotesque qu'il n'y paraît. Ces personnages sont des morts vivants que Catherine voit défiler dans sa mémoire, dans les récits que lui font ses proches, dans les échos qu'en gardent les palais de Saint-Pétersbourg. Jourbine voit juste : nous vivons au milieu des disparus, nos pensées sont emplies de leurs paroles. Combien de fois (de milliers de fois !), dans la nuit de sa vieillesse, Catherine a dû revoir Potemkine gisant dans la steppe, Élisabeth se débarrassant d'une robe en lambeaux, Louis XV agonisant dans le pourrissement hideux de ses chairs, Pierre le Grand tenant par les cheveux la tête coupée de Marie Hamilton... Ils venaient sans autorisation, sans logique, dans l'imprévisible désordre de leur volonté de fantômes. « Un peu comme dans notre film, en fait », se dit Oleg.

Le seul point qui l'oppose encore à Jourbine est la féminité de Catherine. Dans le film, la tsarine est dominatrice, brutale, avide de sexe – une âme très virile dans un corps voluptueux. Ce corps, Oleg le supporte difficilement. Pour interpréter une Catherine mûre, Jourbine a engagé Zara, une actrice ukrainienne qui a joué dans des films érotiques : des lèvres outrageusement épaissies, des seins « dégoulinants de silicone », comme dit Tania. Oleg se rebiffe, cite des témoignages de contemporains... Jourbine soupire, l'air contrit : « Tu as raison, il nous faudrait autre chose que cette bombe sexuelle. D'ailleurs, j'ai trouvé la description de la Catherine quinquagénaire... »

Il sort un vieux livre relié de cuir, attrape le marque-page, déclame : « "Ce qui surprend dans son visage, c'est une fraîcheur qu'envierait une toute jeune femme ; les années semblent n'y avoir marqué que cette perfection, cette puissance de beauté que les hommes savent être l'enseigne de délices ineffables... Elle possède la taille la plus majestueuse, la plus souple, la plus régulière de la Cour ; sa gorge eût servi de modèle à l'Albane ; et jamais plus belle main que la sienne ne fit admirer un geste plus élégant que celui qui lui est familier. On pourrait reprocher un peu trop d'embonpoint à ses formes dont il faut pourtant admirer le volume en faveur de leur éblouissante blancheur..." »

Jourbine rit : « L'embonpoint ! Le volume ! Donc ne crache pas sur Zara, elle a tout ce qu'il faut. Et comme tu as reconnu ta chère Catherine, voilà une petite surprise. Il ne s'agissait pas d'elle mais de madame de Maintenon ! J'ai échangé leurs noms, c'est tout... »

Il lui tire la langue : « Mais oui, moi aussi je m'instruis de temps en temps ! Et maintenant, devine où j'ai trouvé ce bouquin. »

Oleg prend le livre, l'ouvre à la page de garde, le feuillette. Et soudain, dans les notes au crayon, reconnaît son écriture...

Son ami jubile : « J'ai racheté les livres que tu as bradés à la bouquiniste, Erdmann. Regarde, ils sont tous là. »

Un pan de mur, dans le bureau de Jourbine, est occupé par une bibliothèque dont Oleg identifie immédiatement les volumes qu'il a, jadis, échangés contre de la nourriture et de l'alcool.

Il ne parvient pas à comprendre ce qui l'émeut le plus : le geste de Jourbine ou bien… Il sent le picotement des larmes sous ses paupières. En fait, c'est la tonalité de ce passé qui l'envahit – l'époque où, au-delà de ces pages jaunies, il discernait les silhouettes de deux cavaliers sur un chemin nocturne…

Devinant cette blessure, Jourbine se hâte de conclure, goguenard : « Puisque, de toute façon, on ne saura jamais les vraies mensurations de Catherine, autant la rendre bandante, non ? Comme Zara avec ses gros nichons… »

Son rire, pour une fois, sonne faux. Lui aussi doit penser à ce temps où ils rêvaient de filmer une petite princesse allemande qui regardait la neige tomber sur la Baltique.

Le dîner qu'organise Jourbine, à la fin de l'année, marque l'effacement définitif de leur ancienne vie. Le monde nouveau est là, s'incarnant dans une vingtaine d'invités qui vivent ici et maintenant, heureux de mobiliser leur cerveau non plus pour de vagues nostalgies mais pour des réalités utiles, urgentes, agréables. Deux couples, en face d'Oleg, discutent sur les qualités respectives des îles qu'ils ont visitées et qu'il aurait du mal à situer sur une carte : Baa Atoll et Ari Atoll. Il finit par comprendre qu'il s'agit des Maldives… Un autre grand débat concerne l'identification sexuelle des modèles d'automobiles, ou plutôt quel type de femme on verrait conduire telle ou telle voiture. La Jaguar ne convient, en tout cas, qu'aux viragos, souffrant de l'excès d'androgènes… À l'autre bout de la tablée, à travers le halo du tabac, Oleg voit deux hommes blonds, assez semblables physiquement, qui échangent de temps en temps un rapide baiser… Jourbine appelle cette soirée du 20 décembre 95 – la «pré-Noël» et annonce qu'il passera les fêtes en Suisse, avec sa fille. Il fait circuler une photo qui provoque des compliments enthousiastes : quelle belle petite fille, oh, comme elle a grandi ! La nourriture est abondante, excessive même, et sa quantité est censée démontrer non seulement la générosité de Jourbine mais aussi la banalité d'un tel étalage de victuailles : des plats de porcelaine surchargés de saumon, cru, mariné, fumé, la viande de cerf, de sanglier, des longes d'ours, des écuelles de caviar entourées de glaçons, des monticules orangés de crustacés que surplombent des homards laissant pendre des pinces larges comme une main d'homme... Des bouteilles venant de tous les continents et qui rappellent aux invités – ils le disent – un voyage, un anniversaire...

« Il y a dix ans, tout cela était impensable », se dit Oleg, ne sachant comment exprimer mieux la page tournée d'une époque. Les Maldives, le choix expert d'une marque de voiture, ces deux homos qui s'embrassent, ce Lugano où Jourbine s'en va comme s'il s'agissait d'aller passer un week-end à la campagne... Le théâtre de l'Histoire a lancé un nouveau spectacle, avec de nouveaux déguisements, une bande-son réécrite. À quelques chaises d'Oleg, ce grand brun, au front dégarni, au visage très hâlé – Ziamtsev ! Mais oui, celui qui le traitait autrefois de «paysan de Sibérie», son rival d'opérette qui lui avait ravi Lessia... «Ton scénario, Erdmann, c'est un coup de maître! s'est-il exclamé tout à l'heure. Mais surtout, on reconnaît tout de suite ta patte...» Oleg a failli répliquer: «Ma patte de paysan, c'est ça?» Ziamtsev accompagne sa fiancée, une Danoise – «son visa d'entrée en Europe», murmure Tania avec dédain.

Oleg sourit pour répondre au masque figé de son amie. Tania s'est fait lifter récemment – les yeux sont encore écarquillés, le dessin des lèvres, plus proéminent, module mal l'articulation des mots. Oleg murmure un toast: «À toi! Tu es mon visa pour le bonheur.» Il boit, cherchant à faire taire la pensée pénible qui mûrit. Tania est vêtue d'un tailleur, une veste très décolletée, on voit le bel arrondi de ses seins... «Aussi faux que ses lèvres», chuinte la pensée qu'Oleg voulait éviter. Oui, son amie s'est également fait refaire la poitrine, après avoir tant moqué le buste de Zara, la comédienne qui joue Catherine. Depuis trois semaines, ils ne font plus l'amour – Oleg a l'impression qu'à ses côtés dort une convalescente fragile, les bandelettes des pansements protègent ses seins meurtris, une épaisse couche de crème interdit les baisers...

Une sonnerie! Tout le monde sursaute, on n'est pas encore habitué aux portables qui commencent juste à coloniser les poches et les sacoches. Tania tire le sien, avec une décontraction un peu exagérée, s'extirpe de son siège, quitte le salon privé où ils dînent. La porte laisse entrer les bruits de la grande salle, les répliques des serveurs… Les conversations reprennent : le parc du N'Gorongoro vaut un détour, en revanche les neiges du Kilimandjaro, il ne faut pas trop rêver, oui, le réchauffement climatique ; c'est plus simple d'acheter un cottage en Finlande – une bonne écologie et peu de voleurs ; la Trust Banque promet huit pour cent par an pour un placement en dollars… Ziamtsev raconte une histoire drôle : Eltsine, ivre, appelle le président de l'Ukraine. « Dis-moi, Léonid, mes avions de guerre, je les ai envoyés bombarder des villes chez toi ou en Tchétchénie ? »

Les rires éclatent, Oleg tourne sur sa chaise, sort dans le couloir, s'arrête sous un vasistas ouvert. L'air glacé, après l'étouffement du tabac, semble être une matière jamais inhalée. Le serrement dans ses tempes se relâche. « Un plongeur qu'on remonte trop rapidement à la surface, pense-t-il. J'ai émergé trop vite dans ce monde nouveau… »

Il aperçoit Tania dans le reflet d'un miroir, au fond du passage qui mène à la salle principale. La tête baissée, elle ne le voit pas, concentrée sur le petit appareil serré contre sa joue. Difficile d'entendre ce qu'elle dit. Son visage frappe Oleg par un jeu à la fois touchant et troublant – la peau liftée trahit une mimique qui ne parvient pas à naître, une expression tendre, désarmée… « Un parent, un collègue, une amie, un amant ? » se demande Oleg, comprenant que cette communication mobile augmente le nombre de situations envisageables.

Tout devient envisageable, toutes les combinaisons de corps, de sentiments, de destins. La liberté absolue de jouer à cette nouvelle vie. La seule limite est l'impossibilité d'imaginer deux cavaliers sur une route nocturne, deux êtres qui, pour s'aimer, quittent les jeux de ce monde.

Dans le salon où il revient, les discussions se sont interrompues – Jourbine, un verre de champagne à la main, pérore : « Et je m'adresse surtout à mes amis journalistes. N'oubliez pas, en souvenir de ce dîner, de bien passer le message. À partir de l'année prochaine, dans les palaces de notre chaîne, nos clients occuperont des chambres no-mi-na-tives ! Une suite Potemkine, ça a de la gueule, non ? Décorée avec des meubles d'époque ! Celle de l'Impératrice disposera d'une alcôve qui copie le nid d'amour où Catherine recevait ses favoris. D'ailleurs, notre menu d'aujourd'hui répète la sélection des plats que les convives dégustaient au palais d'Hiver. Notre expert peut le confirmer, n'est-ce pas, Erdmann ? »

Oleg opine, le brouhaha des voix efface sa réponse, les conversations sont décousues, alourdies d'alcool. Tania se rassied, distraite, saisit sa fourchette, observe la table pour comprendre où en est la succession des mets. Oleg veut lui passer la photo de la fille de Jourbine, puis se ravise : par crainte d'exposer l'enfant à ce regard indifférent.

Jourbine surgit derrière eux, très éméché déjà, se penche, entourant de ses bras leurs épaules. «Demain, Erdmann, tu nous fais une jolie scène d'alcôve, d'accord? Je t'expliquerai comment je la vois. Jusqu'à présent, notre Catherine a été trop sage, je trouve. Il faut qu'elle se lâche, on a besoin de lourd, de *hard*. Tu es d'accord, Tania?» Il pousse un rire hoquetant, essaie d'embrasser Tania dans le cou, elle le repousse et son visage retendu compose, de nouveau, une grimace floue, indéfinie. Jourbine se redresse et, en titubant, fait le tour de la table, étreint ses invités.

À la dérobée, Oleg range la photo de l'enfant dans la poche de sa veste, toujours avec la certitude de protéger la petite fille de ce qu'il voit. Elle est photographiée près d'un terrain où sont installés des balançoires et des toboggans et semble, malgré le cadre savamment choisi, très éloignée de ces jeux. Oleg a le sentiment que cette enfant au sourire triste comprendrait ce qu'il éprouve, lui, dans cette vie nouvelle.

Ils n'auraient pas dû se voir le lendemain. Jourbine a un teint jaunâtre, la langue pâteuse. Les tempes dans un étau, Oleg voudrait serrer son front contre l'angle du bureau en marbre noir, se faire mal pour détendre la tenaille.

La douleur serait supportable s'il n'y avait pas ce constat qu'ils partagent sans se l'avouer: la fête d'hier a été ratée, malgré les rires, les blagues, l'abondance de la ripaille. Ils étaient là, se méprisant vaguement les uns les autres, et tout le monde sentait qu'il s'agissait d'un festin de nantis au milieu d'un pays pillé. Et, le comble, ils n'étaient même pas les plus gros profiteurs, juste des carnassiers de taille moyenne. En regardant la jeune maîtresse de Jourbine, une blonde presque adolescente, tout le monde, mentalement, la traitait de «petite pute». Et Tania, avec son visage lisse et figé, provoquait les sarcasmes chuchotés par la partie féminine de la tablée («Pauvre fille, sa peau est si tendue que quand elle ferme les yeux, sa bouche s'ouvre…»). La copine danoise de Ziamtsev comprenait peu le russe et, prise de boisson, parlait dans un anglais indigent qui exprimait bien le vide des bavardages autour d'elle…

Jourbine reste dans son fauteuil. Oleg, installé sur un siège de visiteur, se sent un cancre convoqué pour une rossée.

«Si l'on n'avance pas, Erdmann, on recule, c'est ça la loi de la télévision. Je comprends, tu cherches à sauver mon navet commercial avec tes fulgurances d'esthète. Tes trouvailles, je peux te le dire, les spectateurs s'en tapent. Dans la scène où les soldats violent la jeune mariée, tu as filmé une poupée. Pourquoi faire? Enfin, je sais pourquoi : la sauvagerie du viol et, à côté, ce reflet d'enfance. Oh, comme c'est fin! Sauf que les gens ne remarquent pas ton petit jeu. Les cuisses écartées de la femme, oui, le mari ligoté qui sanglote, aussi. Mais tes raffinements à la con, ils n'en ont rien à foutre ! Et dans les deux épisodes suivants, tu récidives. Tu veux qu'on t'appelle Tarkovski, ou quoi ? Trop tard, mon vieux. Tarkovski était dissident et c'est pour cela que l'Europe l'encensait. Il aurait filmé une crotte de chien, on aurait crié au chef-d'œuvre. C'est fini tout ça. Tu fais un film non pas pour ces intellos pourris mais pour des millions d'hommes et de femmes qui rentrent du boulot et qui veulent souffler, être émoustillés, amusés. Oui, rien de criminel à cela…

– Bon, Ivan, tes théories du cinéma, c'est passionnant, mais j'ai très mal à la tête ! Tu devrais changer de fournisseur de champagne… Concrètement, qu'est-ce qu'on fait ?

– On fait de l'érotisme *light* en général et des scènes de sexe *hard* en particulier. Le programme est clair, non ?

– Donc, du porno. Et comme la série est diffusée à vingt-deux heures trente, on l'interdira…

– Oui, c'est possible. Heureusement, j'ai engagé un excellent réalisateur, un certain Oleg Erdmann qui, par ailleurs, commence à me les casser, et ce garçon plein de talent saura… »

Le téléphone sonne, Jourbine décroche, accentue son ton bilieux : « Non, Sacha, tu leur dis que Jourbine ne vendra pas ses parts… Ah, s'ils insistent ? Alors, il faudra leur expliquer qu'un de mes gardes du corps est un tireur d'élite professionnel. Il ne les tuera pas, parce qu'on n'est pas méchant, il visera leurs couilles, la gauche ou la droite, à leur convenance. Qu'ils choisissent bien laquelle. Voilà, Sacha, tu répètes ça mot à mot, d'accord? Ciao!»

Le regard qu'il jette à Oleg est haineux, même si cette haine est destinée aux autres.

«Donc, je disais… Oui, un réalisateur de génie, cet Erdmann, un virtuose, pareil à mon tireur d'élite. Il saura filmer les scènes les plus risquées sans que personne vienne nous accuser de vendre du porno. Voilà, mon pote, à toi de bosser, maintenant. Et ne joue pas les demi-puceaux! Pour filmer l'épisode dont je vais te parler il faut avoir des couilles, les deux de préférence. Catherine va s'accoupler avec son cheval Orlik…»

Oleg éclate de rire et ces secousses lui font si mal que, réellement, il appuie sa tête contre le rebord froid du bureau. Puis, il se redresse, grimaçant de douleur.

«Écoute, Ivan, j'apprécie ton sens de l'humour mais là… Enfin, sans commentaires…

– J'attends justement tes commentaires. Je voudrais savoir comment tu vas t'y prendre.

– Ouf… On a trop bu, hier. Et si tu allais te reposer?

– Erdmann, le cheval va être prêt demain, vers onze heures…

– Tu délires. Laisse-moi, au moins, le temps de me pincer.

– Je ne délire pas, cette scène sera filmée ! Par toi ou bien par quelqu'un d'autre...

– Cette scène est un mensonge ridicule, Ivan. En 1917, on en a inventé plein pour diffamer les Romanov...

– Je m'en fiche, des Romanov ! Il nous faut cette scène et il faut qu'elle soit à la fois choquante et acceptable pour la direction de la chaîne. Tu le feras !

– Bien sûr que non. Tu peux commencer à chercher un fou qui me remplacera. Il faudra aussi trouver une malade qui jouera cette Catherine amoureuse de son cheval...

– Ne t'inquiète pas, Erdmann. Zara m'a déjà donné son accord. Et détrompe-toi, il n'y aura pas d'images de zoophilie, tout sera allusif, bien que très charnel. Toi, tu veux rester propre, c'est le réflexe d'un intello qui craint de se salir les mains. Oui, un bon petit Allemand aux mouchoirs en dentelle. Oh, le cheval, ça pue ! Et quand l'étalon bande, oh, que c'est pas joli ! Une fille nue l'enlace, quelle horreur ! Vous êtes tous pareils, Ziamtsev, toi, les autres – des pâtes froides à la place des tripes ! Et c'est pour ça qu'il ne restera rien des bluettes de merde que vous filmez ! Quand Sade parlait de Catherine, il la montrait saillie par un bataillon de brutes, ou plutôt c'est elle qui violait et torturait les hommes. Et Sacher-Masoch ? Je l'ai lu, oui, rassure-toi. Chez lui, Catherine est une dominatrice qui fouette Diderot travesti en singe. Et toi, tu as la trouille de montrer un cheval… Allez, c'est fini, tu es viré! Je sais qui je vais engager. Un type qui filmera Catherine en train de baiser avec un rhinocéros, s'il le faut!»

Cette dernière phrase, Jourbine la hurle sur le seuil de son bureau – Oleg s'est levé avant, quittant les lieux sans rien dire. La secrétaire ne réagit pas. Deux visiteurs qui attendent d'être reçus échangent un regard interrogatif mais pas vraiment troublé. La Russie de ces temps-ci émousse toute capacité d'étonnement. Le pays est dirigé par un président qui, à l'issue de ses déplacements à l'étranger, est souvent rapatrié ivre mort. Alors, un rhinocéros…

En rentrant chez lui à pied, Oleg pense à cette indifférence face à l'inouï: un Diderot nu fouetté par une femme en cuissardes ou bien une tsarine s'accouplant avec son cheval préféré… Du délire! Mais comme rien ne surprend plus…

Dans la poche de sa veste, il retrouve la photo qu'il a oublié de rendre à Jourbine: sa fille à côté d'un toboggan en plastique.

… Plus tard, il devinera que la colère de Jourbine exprimait l'inévitable syndrome post-révolutionnaire. Tant d'espoirs avaient agité la Russie en cette décennie! Le but fut atteint: le pullulement des partis politiques, l'économie privatisée, l'ouverture des frontières... Et Jourbine a même su organiser un dîner assez semblable à ce qu'on voyait dans les films occidentaux. Pourtant, intérieurement, il devait se demander : « À quoi bon tout cela, si je suis obligé de produire ce feuilleton télévisé de bas étage et si la seule condition de son succès est sa racoleuse médiocrité ? »

Pendant les deux jours suivants, Oleg ne parvient pas à joindre Tania. Un début d'anxiété – tout peut arriver dans ce pays imprévisible : un attentat dans un train, un enlèvement... Ou bien une opération de chirurgie esthétique, mais pour charcuter quoi encore ?

Tania réapparaît le soir du troisième jour, esquive son étreinte, pose dans l'entrée deux valises, les ouvre. Elles sont vides.

« Tu pars en voyage ? D'ailleurs, tu étais où ? »

Il ne sait pas quel ton adopter, imite une douceur un peu ronchonne.

« Oui, je m'en vais... Je n'en peux plus, Oleg. Tu n'es jamais là, toujours collé à ta caméra ! Tant qu'à faire, épouse cette grosse Zara qui joue Catherine. Tu passes plus de temps avec elle qu'avec moi...

– Justement, je viens d'être viré, donc maintenant, tu risques de me voir même un peu trop...

– Et surtout, ton égoïsme d'artiste ! Tu es prêt à tout sacrifier pour tes tournages. J'en ai marre ! Je ne veux plus vivre à la schlague, je ne suis pas une Allemande, moi!»

Oleg comprend que les arguments ont été préparés à l'avance – mais Tania n'a pas prévu son licenciement. Les griefs défilent, son travail de réalisateur est mis en cause, sauf qu'il n'a plus de travail. Oleg le répète, assure que leur vie pourra devenir plus calme, parle des fêtes du nouvel an, de vacances...

Les valises se remplissent, surtout de vêtements et de produits cosmétiques. Les reproches suivent leur cours, visant celui qu'il n'est plus. La scène lui semble étrangement connue, comme s'il l'avait déjà vécue... Mais quand?

Les fermetures émettent un cliquètement définitif.

«Je te souhaite tout le succès que tu mérites. J'imagine que c'est la seule chose qui t'intéresse dans la vie...»

Ça y est, il a compris: cette séquence de rupture est calquée sur les films occidentaux! Les valises, le ping-pong des répliques, l'intonation de la femme qui s'en va. Ils ont été intoxiqués par ces drames psychologiques, persuadés que c'est ainsi que se déchirent les couples dans les pays civilisés... Le cinéma, un sacré lavage de cerveaux! Ou plutôt de cœurs...

«S'il y a des trucs que j'oublie, ne les jette pas tout de suite... Non, les valises ne sont pas lourdes, j'y vais, bye!»

De sa fenêtre, Oleg voit Tania qui ouvre le coffre d'un quatre-quatre. Les vitres sont fumées, impossible de discerner le visage de celui qui est au volant. Se cache-t-il? Ou bien c'est Tania qui lui a dit de ne pas se montrer? Un simple chauffeur? Ou l'homme avec qui elle va vivre?

«C'est pour lui qu'elle s'est retendu le visage et bombé les seins...» Oleg se rend compte qu'il n'a pas connu ce corps nouveau, n'a pas embrassé le rictus de la bouche redessinée. Un déguisement pour une vie plus riche, plus brillante et qui exige ces lèvres pulpeuses, un derme lisse, une poitrine ferme...

«Peut-être même s'est-elle trouvé un oligarque, se dit-il en souriant. Oui, le magnat qui a, jadis, envoyé ses hommes de main tabasser les journalistes de *No Comment*. Sinon, un des concurrents de Jourbine, celui qu'un tireur d'élite émasculera un jour! Tout est possible dans ce pays. Liberté absolue...»

Il pousse un petit rire, referme les portes des armoires: des cintres nus, des sacs en plastique vides... Se dressant sur la pointe des pieds, il tâte le fond du rangement le plus haut – rien. Dans sa hâte, Tania a emporté le cadeau qu'il lui avait préparé pour Noël...

Au début de leur explication, il a pensé qu'elle l'obligerait à quitter ce trois-pièces qu'ils louaient ensemble. Il a ressenti du soulagement à cette idée, s'imaginant dans sa chambre de l'appartement communautaire, comme autrefois. Ce lieu, si pauvre, lui a semblé doté d'une vérité introuvable ailleurs.

Le soir du 31 décembre, Oleg accompagne Lourié à la gare. Le voyage qu'entreprend le vieil homme est étrange déjà par le choix de la date : le nouvel an viendra, pour lui, dans les champs glacés, quelque part entre Saint-Pétersbourg et Moscou. Lourié a obtenu l'autorisation de visiter la prison de Boutyrka…

« Le temps où l'on peut consulter les archives de l'époque stalinienne, ce sursis béni pour les historiens, prendra bientôt fin, explique-t-il. Eltsine sortira de son coma éthylique et un tour de vis sera donné, par lui ou par son successeur… Le chef de l'administration pénitentiaire à qui j'ai écrit, un libéral, m'a conseillé de venir le 1er janvier, quand la direction de la prison se repose après la fête… »

Ils arrivent à la gare très en avance, Lourié a peur de manquer ce départ attendu depuis si longtemps. « Depuis ma libération… », dit-il, faisant avec Oleg les cent pas dans le hall.

Il rit doucement : « Non, je ne voulais pas revenir en taule. Juste y retourner en homme libre, pour pouvoir comprendre comment une soixantaine d'hommes ont pu tenir debout, des heures et des heures, dans une cellule de huit mètres carrés, sans une gorgée d'air. Oui, juste voir cette cellule… »

Il s'interrompt, confus d'imposer à Oleg ce passé de camps. « Allons dehors, le train est peut-être déjà là… »

Le quai est désert, pas de train et il y aura sûrement peu de voyageurs. Qui voudrait passer la nuit du nouvel an dans un wagon ?

« Parlez-moi plutôt de votre Catherine. Où en êtes-vous de ses aventures ? »

Oleg pousse un soupir :

« Hélas, Catherine m'a quitté. De graves divergences esthétiques avec mon producteur…

– Donc, son voyage avec Lanskoï est passé à la trappe ? J'espérais que vous trouveriez un moyen – cinémato-graphique – de les faire partir en Italie…

– Ç'aurait été encore plus fantaisiste que les régiments de grenadiers qui défilent dans son alcôve. Lanskoï est mort et Catherine s'est vite consolée dans les bras d'Ermolov… Quand on est assis sur le trône, a-t-on tellement envie de partir ? »

Sur le quai opposé, un train venant du Nord déverse son flot de voyageurs. Retrouvailles, appels de proches, valises posées dans la neige, et surtout la joie d'un dîner de fête tout proche...

Lourié sourit :

«Tous les tsars ont voulu, à un moment, partir. Prenez Ivan le Terrible... On l'imagine accroché au Kremlin comme une bardane aux poils d'un chien. Faux ! D'abord, il veut transférer la capitale loin de Moscou, à Vologda – ce train vient justement de cette ville. Puis, il s'enfuit dans un monastère, refusant de gouverner. Enfin, son idée fixe est d'épouser la reine d'Angleterre et de s'installer à Londres. Les démarches diplomatiques dans ce sens sont bien connues. Et Pierre le Grand qui passe à l'étranger la moitié de son règne...

– On ne dirait pas cela de Catherine. Elle n'a jamais vraiment quitté la Russie et serrait son sceptre de ses deux mains...

– C'est que, Oleg, elle a souvent failli le perdre. Si j'essaie de vous arracher votre sac, instinctivement, vous allez crisper vos doigts. Même réflexe chez Catherine... Cependant, le trône lui pesait. D'où ses réformes pour redistribuer le poids du règne. Et aussi ces favoris. Si, si, ils étaient là pour la débarrasser d'une partie du fardeau. À la mort de Lanskoï, elle se fait absente – pendant de longs mois ! C'était aussi une façon de fuir...

– Tout le monde n'avait pas ce penchant pour le renoncement. Paul Ier est tué, les assassins sont encore

au palais et son épouse hurle dans sa langue maternelle :
"*Ich will regieren!*" Oui, elle veut régner !

– Ceux qui ont goûté de ce fruit devenaient bien plus
réticents. Pierre III chassé par Catherine ne demande
qu'à partir, son violon sous le bras et son chien à ses
trousses. Et le petit-fils de Catherine, Alexandre Iᵉʳ,
combien de fois n'a-t-il pas maudit sa charge d'autocrate ! Il met en scène sa mort et s'enfuit, déguisé en
paysan. Une légende ? Peut-être… Mais elle en dit long
sur l'état d'esprit qui a toujours prévalu en Russie.
Alexandre II voulait abdiquer après avoir donné aux
Russes leur Constitution. Et il l'aurait fait s'il n'avait pas
péri dans un attentat. Et Nicolas II ? On nous a rebattu
les oreilles avec la force des révolutionnaires. Foutaises !
En février 17, le tsar était à la tête d'une armée de quinze
millions de soldats qui le tenaient pour Dieu… Je pense
qu'à ce niveau de puissance, surgit l'irrésistible envie
de disparaître, d'être rien après avoir été tout. Si on ne
décèle pas ce désir chez Catherine, on ne la comprend
pas. On ne comprend pas qu'il s'agissait d'une femme
qui a approché les limites de ce que notre vie peut
contenir de puissance, de gloire, de plaisir… Oui,
tout. Et ce tout paraît soudain si incomplet, comparé
à… comment vous disiez déjà ? Une matinée de neige,
une femme qui marche le long de la Baltique… Mais
le cinéma s'intéresse à la grande Histoire et non pas à
ces rêves, n'est-ce pas ? »

Le train avance avec une lenteur feutrée, comme si les rails, recouverts d'épais flocons, étouffaient le cognement des roues. Les voyageurs dispersés sur le quai sont rares, égarés dans cette dernière nuit de l'année. Oleg accompagne Lourié jusqu'à sa voiture, monte, place sa valise sur le porte-bagages. Redescendu sur le quai, il voit à travers la vitre un visage qui sourit, le geste d'une main : « N'attendez pas le départ ! » Les traits de Lourié portent le reflet d'une étrange jeunesse.

Dans le métro, Oleg repense à leur conversation : une matinée de neige, une femme marchant le long de la mer... Il devine que Lourié, lui aussi, est guidé par un rêve ancien : demain, il quittera la prison, passera par des ruelles enneigées, dans une ville assoupie après une nuit de fête – un inconnu découvrant une autre vie.

Sans l'agitation des tournages, le temps semble immobile. Les premiers jours de janvier, l'essoufflement des fêtes, les heures vacantes qui rendent Oleg à lui-même. Il décide de regarder son film dans les conditions d'un spectateur ordinaire : un fauteuil, une boisson, le sain désir d'être diverti...

Raté ! Dans une scène de guerre russo-turque, pour des raisons d'économie, les mêmes figurants jouent tantôt les Ottomans tantôt les braves guerriers de Catherine. Et là, ce lapsus qui le fait sursauter : un des Turcs, devenant russe, a oublié de changer de bottes ! Bon, il ne reste qu'une seconde dans le champ... En revanche, l'œil de ce janissaire qui part à l'assaut, imbibé d'opium, excellent! Zara n'est pas mal non plus, surtout quand elle n'essaie pas de loucher langoureusement, jouant au sex-symbol...

Oleg est surpris de ne pas trop détester ce feuilleton. Le voyage de Catherine en Crimée, en 1787, est presque une réussite. Surtout si l'on pense que pour filmer la navigation de quatre-vingts galères, il ne disposait que de deux chaloupes décorées et dorées à la va-vite! L'illusion est convaincante : de véritables palais flottants, trois mille voyageurs, des musiciens, des festins, des rives couvertes de «villages Potemkine» et illuminées de feux d'artifice. À bord, la fine fleur de l'Europe : l'inévitable prince de Ligne, les ambassadeurs de France, d'Angleterre, d'Autriche, le malheureux roi de Pologne Poniatowski, l'empereur Joseph II... La gigantesque entreprise publicitaire – «Catherine II, Sémiramis du Nord, Cléopâtre des Scythes, tsarine éclairée, héritière des Lumières qui cite Voltaire et Diderot au milieu des steppes du khanat des Tatars!». La victoire de l'Europe sur l'Asie, de la science sur l'ignorance, de l'humanisme sur la barbarie, de la Raison sur les superstitions, et ainsi de suite. Tout cela dans l'exquise délicatesse d'un salon : les invités échangent les dernières nouvelles de Paris, de Vienne et de Saint-Pétersbourg, s'amusent à des bouts-rimés, satisfont leur gourmandise grâce à une noria de cuisiniers, font des escapades côtières et des découvertes pittoresques, comme ces trois femmes tatares qui, enlevant leur voile, s'aspergent dans un courant et que Ligne et Joseph II épient, cachés dans un buisson. « Mahomet avait raison de leur imposer le voile », constate le prince devant le peu d'attrait physique des naïades...

Oleg sourit – les spectateurs s'esclafferont à la vue des trois viragos positivement moustachues. Le récit ne vise rien d'autre que ces moments de rire, de détente, d'excitation, de frayeur et, de nouveau, de doux relâche-ment, car il s'agit d'un conte. Comique, cruel, licen-cieux, répétitif dans ses innombrables aventures... Pareil, finalement, à l'histoire humaine. Donc, Jourbine n'avait pas tort.

Si, il a complètement tort ! Car il y a cette scène qu'Oleg a pu insérer : Catherine et ses invités se promènent dans un marché oriental, éblouis par ses bigarrures, assourdis par toutes les langues qui s'y répondent, enivrés de soleil. La tsarine s'arrête – dans le déferlement des coloris, des épices, des fruits, des tissus, l'étal de ce marchand est modeste : des dentelles qui ressemblent aux ramilles de givre qu'on voit sur les vitres par grand froid. Un homme et sa fille adoles-cente présentent à la tsarine des cols, des napperons, des coiffes... Ils parlent italien. Catherine remercie, s'éloigne rapidement.

La séquence dure dix secondes. Oleg est sûr qu'aucun spectateur n'en a saisi le sens. Or le voyage en Crimée, trois ans après la mort de Lanskoï, marque une étape. Catherine a oublié leur projet de partir, elle est de nouveau dans la vie présente, dans l'affirmation, la conquête. L'Europe est séduite, la Turquie, battue, le chaos russe, jugulé. Et le jeune favori, Mamonov, se montre ingénument amoureux de sa souveraine. Cette venue en Crimée est une apothéose! Soudain, l'apparition des Italiens rappelle l'ombre des deux cavaliers qui quittent Saint-Pétersbourg par une nuit de juin...

« Mais c'est déjà un autre film, se dit Oleg. Ou plutôt une autre vie qu'elle a rêvée et n'a pas eu le temps de vivre... »

Il change plusieurs fois de chaîne, constate que son feuilleton est loin d'être le fond de cette poubelle. À la suite des débats politiques (un intervenant envoie son jus d'orange à la figure de son contradicteur), des jeux télévisés, des matchs et des séries, il tombe sur une émission plus sérieuse: des cinéastes parlent de la révolution artistique des dernières années. L'un d'eux affirme: « Mon film *La Petite Véra* a détruit l'URSS esthétiquement. Pour la première fois en soixante-dix ans, le cinéma a montré un acte sexuel... »

Oleg éteint la télévision. « Une paire de fesses qui a fait tomber l'Empire soviétique... » Ce qui le frappe, ce n'est même pas la stupidité d'une telle hâblerie, mais le fait qu'on mesure la liberté d'après la brutalité avec laquelle la femme est saillie. C'est vrai, depuis cette *Petite Véra*, on a fait des progrès – Jourbine rêve d'accoupler Catherine avec un cheval…

Le soir, il passe quelques heures dans son ancienne chambre communautaire. Parmi les brouillons qui traînent encore par-ci par-là, il trouve la copie d'une lecture que Catherine et Lanskoï faisaient ensemble. Un texte de Swedenborg, le penseur qui les intriguait – savant, mystique et fils de cette belliqueuse Suède dont l'ombre guerrière avait souvent menacé Saint-Pétersbourg. Le fragment était traduit par Lanskoï : «Je marchais dans les rues d'une ville familière et je savais bien que j'étais éveillé, je voyais tout ce qui m'entourait avec un regard ordinaire. Mais à l'issue de cette marche, j'ai soudain pris conscience que je me trouvais dans une ville inconnue…»

Ces mots permettent à Oleg de sonder à quel point il était naïf à l'époque où il espérait les utiliser dans son film : un soir de juin, les deux amants assis face à la Baltique et qui lisent ces pages du *Livre des rêves*. Une ville «inconnue» donne naissance à leur projet de partir.

Le lendemain, à six heures du matin, le téléphone le réveille. Un revif d'espoir : Tania, torturée de remords, va lui dire que leur rupture est une erreur... Non, c'est Jourbine ! Une voix télégraphique, impersonnelle : «Je t'appelle de la rue. Prends ta voiture. Viens au bureau. Gare-toi derrière l'immeuble. Très important.» Et il raccroche.

Impossible de refuser à quelqu'un qui vous a blessé, question d'honneur. Oleg ricane de cette psychologie surannée en avalant son café. Dehors, il fait moins trente, sa voiture est un congélateur. La Neva s'étend, lisse comme une steppe enneigée. «Au mieux, Jourbine m'annoncera que le cheval sera interprété par une jument, oui, une sorte de zoophilie lesbienne... Il est tout à fait capable de me proposer ce marché !» Oleg rit, plutôt pour ne pas s'endormir au volant.

Jourbine surgit de l'entrée de service, comme d'une embuscade. «Tu peux garder ça chez toi ?»

Sans comprendre, Oleg l'aide à transporter une demi-douzaine de gros cartons. « Ne t'inquiète pas, c'est surtout les paperasseries concernant notre film… » Les rabats de la dernière boîte ne sont pas collés et, sous la lumière vague d'un réverbère, Oleg distingue la forme incurvée de plusieurs chargeurs, ceux de kalachnikovs. « Des accessoires pour les grenadiers de Catherine, je présume », plaisante-t-il. Jourbine ne répond pas, un regard vide, une brusquerie rageuse dans les gestes. « Cache tout ça, d'accord ? Et viens me voir ce soir. Si on ne m'a pas coffré d'ici là… »

Le soir, ils se voient non pas dans le bureau, mis sous scellés, mais dans la salle d'attente d'où a disparu même l'ordinateur de la secrétaire. Jourbine maugrée : « Les règles du jeu : vous ne voulez pas passer sous leur contrôle, alors ils vous collent un contrôle fiscal… »

Le dicton a sans doute été répété à bien des gens et Jourbine le formule sans conviction – une vérité dépassée par la gravité de la situation.

« En fait, c'est encore plus bête. Les cons de mon espèce ont mordu à l'hameçon. Allez, futurs capitalistes, sortez vos économies, investissez, vendez, revendez, travaillez jour et nuit, enrichissez-vous et avec le pognon gagné, bâtissez vos holdings d'anguilles salées, de palaces étoilés et d'alcool trafiqué ! Des crétins comme moi y ont cru. On a bossé pire que les bagnards ! Demande-moi de me rappeler une seule journée où j'aurais eu une heure à moi – zéro ! Si, je me rappelle les jours où je recevais des oursons éventrés. C'est tout... On a amassé des fortunes, on se prenait pour des chasseurs de milliards ! Sauf que nous n'étions pas chasseurs, nous étions des chiens qui traquaient la bête. Les chasseurs viennent maintenant, nous arrachent la proie et nous foutent dehors d'un coup de pied au cul. Et ce n'est pas eux qui m'envoyaient des oursons. Les vrais chasseurs n'ont pas besoin de me menacer. Car ils ont le pouvoir ! Ils sont au Kremlin, au Parlement, dans les ministères. Nous avons fait le sale boulot, eux ils boufferont la bête. Et si je commence à protester, une équipe de contrôleurs vient, armée comme un commando d'assaut... Dans les ordinateurs qu'ils ont emportés, le procureur trouvera de quoi m'offrir un long séjour derrière le cercle polaire... Lui aussi fait partie des chasseurs. Et la bête abattue c'est tout le pays, Erdmann ! »

Il remplit son verre, sourit avec aigreur, montre l'étiquette de la bouteille à Oleg. Vodka *Impératrice*. Le portrait d'une tsarine dans un cadre doré et, plus bas, deux grenadiers couchés autour d'un feu de bivouac.

« C'est sur cette distillerie qu'ils ont mis le grappin en premier. La gnôle, ça rapporte. Puis, ils vont rafler le reste...

– Tu garderas quand même quelques bons morceaux... »

Oleg force un ton d'encouragement, choque leurs verres, boit. Jourbine répond avec une grimace de vieil homme, cligne rapidement des yeux. Sa voix est sèche, faible.

«Je peux vivre avec rien, tu sais bien, c'est comme ça qu'on a vécu, jeunes. Seulement... J'ai ma fille... Je suis allé la voir à Lugano. L'endroit où elle vit, c'est un paradis. La nature, les éducateurs, elle a une grande chambre qui donne sur les montagnes... Un étang avec des poissons et des tortues. Un calme divin. Ça coûte très cher. Et c'est mon seul problème à présent. Je peux aller vendre des cigarettes dans un kiosque, ça m'est égal. Mais je ne gagnerais pas assez pour payer ce paradis. C'est une enfant... à part, je t'ai déjà expliqué. Ce n'est pas une... handicapée mentale, non. Seulement, elle ne comprend pas que quelqu'un puisse vouloir lui faire du mal. Que les gens aient envie de donner des coups, de blesser avec des mots, de frapper pour le plaisir de frapper. Et pourtant, on ne fait que ça. Comment veux-tu qu'elle vive ici, entre ces peluches éventrées et les malades qui me les expédient? Elle a déjà donné un prénom à chaque poisson et aux tortues, elle leur parle...»

Un carillon retentit dans le bureau de Jourbine – douze brèves notes, semblables aux sonorités d'un clavecin. Oleg se souvient de ce gros boîtier en acajou, posé sur un piédouche de malachite... Le visage de

Jourbine n'a pas changé d'expression – la même grimace vieillie et ces larmes qui semblent couler indépendamment de ce qu'il dit. Avec retard, la sonnerie de l'horloge l'éveille, il fixe Oleg comme s'il s'agissait d'un étranger. Sa voix se coupe, puis se raffermit :

« Il faut que notre film marche, Erdmann ! Au cas où ils me mettraient en taule, tu aurais assez d'argent pour envoyer ce qu'il faut à ma fille. Tu le feras, n'est-ce pas ? Je sais que tu tiendras parole. Mais il faut que cette série sur Catherine continue, même si tu la détestes. Je te promets qu'à la fin, nous allons surprendre tout le monde. Voilà à quoi j'ai pensé : Catherine meurt sur sa chaise percée, c'est l'agonie, la hargne des prétendants et, soudain, apparaît un historien, un peu comme ton… comment il s'appelle déjà… oui, Lourié. Et il dit aux spectateurs : vous vous êtes bien gavés de cette bouillie de sexe et de cruauté. Vous vous êtes bien amusés à voir cette caricature en jupon se trémousser dans son alcôve. Vous vous foutiez pas mal de savoir ce à quoi cette femme rêvait. Eh bien, maintenant, ce sera le tout dernier épisode où vous verrez l'homme qui l'a véritablement aimée… Et là, tu filmeras tout ce que tu voudras, sa rencontre avec Lanskoï, leur amour et puis leur rêve de partir… »

Ils se revoient deux jours plus tard, dans une station de métro, « comme des agents secrets », pense Oleg.

Jourbine dit qu'il veut lui éviter des ennuis mais il cherche aussi, sans doute, à protéger sa société de production, la seule activité qu'il espère pouvoir garder.

«Nous avons plusieurs épisodes en réserve. Pour deux mois, sinon quatorze semaines. Donc les tournages, ça peut attendre. Bon, cette scène avec le cheval… J'ai été injuste avec toi, Erdmann, je le reconnais. Mais j'étais à cran, je savais qu'ils allaient venir pour me débarquer… Maintenant, tu auras deux mois de vacances. Va visiter l'Allemagne, entre-temps. Tu pourras retrouver ce type qui a fait un film érotique sur Catherine. C'est lui qui a montré le cheval… Oui, Max Pfister. Ça s'appelait *La Tsarine rouge sang*, je crois. Voyage un peu, ça te fera du bien. Un visa? Mais tu es un "Allemand ethnique"! Ils te le donneront en quelques jours, c'est sûr…»

Au moment de le quitter, Jourbine lui laisse sa carte de visite. «Non, je ne suis plus président de tout ça… J'ai noté l'adresse de l'établissement qui s'occupe de ma fille, à Lugano. Quand tu seras à Berlin, envoie-lui une carte, cela lui fera un plaisir fou. Elle ne reçoit jamais de lettres…»

Avant de se rendre au consulat, Oleg a imaginé, avec anxiété, les « retrouvailles » avec le pays de ses ancêtres. Les gens qui allaient le recevoir devaient être âgés, marqués par la guerre. Il allait parler en allemand et, dans leurs voix, reconnaître les intonations de son père…

Celle qui lui transmet un questionnaire est très jeune, vingt ans à peine, une stagiaire certainement, et elle s'exprime en russe. Ce pépiement juvénile est pénible. Oleg passe à l'allemand, la jeune fille le suit, souriante. Elle doit voir en cet Allemand russe un étrange Hibernatus qui a préservé quelques vocables de son idiome maternel…

Pendant qu'il remplit le formulaire, la stagiaire sort son portable : une mitraille sonore d'onomatopées, de ricanements, de noms de villes. Oleg comprend, en gros, qu'il s'agit d'un voyage à Londres, pendant les fêtes qui viennent de se terminer.

Il rend sa copie et s'entend dire que pour un «Allemand ethnique», l'obtention du visa ne prendra pas plus d'une quinzaine. La stagiaire ajoute sur un ton devenant presque enjôleur qu'il peut aussi envisager le retour au pays, oui, l'installation définitive dans sa «patrie historique»...

Cette suggestion lui fait mesurer, avec violence, à quel point il se sent russe.

Ces jours d'attente sont marqués par une impression de dédoublement: plus de quarante ans de vie en Russie et, subitement, une identité allemande que la jeune préposée aux formulaires lui a concoctée en un tour de main — comme ces vendeurs qui jettent sur vos épaules un vêtement et, en quelques boniments, le rendent inséparable de votre corps. Ses lectures lui ont appris que Catherine, peu de temps après son arrivée en Russie, est tombée gravement malade. Grâce à plusieurs saignées (ou malgré elles?), la princesse a survécu. Elle s'est même montrée fière de ce qui lui arrivait: «J'ai perdu la dernière goutte de mon sang allemand!»

Oleg se dit que jamais l'idée d'un sang étranger ne lui est venue à l'esprit. Et pourtant, pour les familles comme la sienne, le destin de Catherine n'a jamais cessé de compter. Cette lointaine parenté germanique devenait justement un «secret de famille», un passé intime qu'on exprimait tantôt par un dicton ironique

(«Tout cela à cause de la petite princesse allemande!»),
tantôt par un aveu désabusé: quoi que nous fassions
pour être russes, nos origines nous trahiront car on nous
soupçonnera toujours capables de trahir...

Au bout de neuf jours, il obtient son visa. La rapidité
de la réponse souligne, ironiquement, sa renaissante
identité: il est un élu, un presque-Occidental! Le billet
qu'il achète amplifie le paradoxe. La date du 3 février,
imprimée en tristes caractères bureaucratiques, signifie le voyage dans un pays que ses ancêtres ont quitté
plus de deux siècles auparavant.

C'est le vertige de cette idée qui le pousse à refaire
la route de l'immeuble-rocher.

La journée, à la mi-janvier, résonne de froid et de
soleil. Les faubourgs qu'il traverse sont entourés de
colonnes de fumée – la respiration industrielle de la
grande ville. Le quartier, autrefois serré contre les voies
ferrés, ne l'étonne plus par ses transformations. Les
ruelles ont été remplacées par de larges ronds-points
et des enclaves résidentielles. Il retrouve les habitations
de luxe dont, il y a un an, il a surpris la construction:
penthouses, piscines... Des grilles en fer ouvré surmon-
tées de pointes dorées, des caméras de surveillance, des
guérites de gardiens, des allées soigneusement balayées...

Un sentier dans la neige contourne la clôture, il
le suit sur une centaine de pas ct, au début, peine à

reconnaître la maison recherchée. L'immeuble-rocher est toujours là, mais sa façade est noircie par un incendie. Surplombés de grands bâtiments neufs, ses quatre étages semblent rabattus vers le sol. Des rangs de barbelés, accrochés à des poteaux, l'entourent sommairement. «Danger! Immeuble en démolition», indique une pancarte.

Il commence à chercher une ouverture quand un vieil homme qui promène un husky l'interpelle: «Faites attention, il y a plein de seringues là-bas! Ces fichus drogués ont mis le feu. Ou bien ce sont des promoteurs qui ont fait le coup, pour occuper le terrain sans dédommager les habitants…» Entraîné par son chien, l'homme s'éloigne en trottinant dans la neige. Oleg écarte deux rangs de barbelés, se contorsionne, réussit à passer.

L'intérieur de la maison est couvert de suie, la rampe de bois a brûlé mais les escaliers entre les étages sont intacts. Oleg monte en enjambant des ballots de vêtements calcinés, des carcasses de meubles… La porte des combles est composée de tisons. Il la pousse doucement du bout de sa botte, elle s'ouvre, laissant tomber de longs filaments de cendre…

La vitre de la lucarne est cassée, un courant d'air fait tournoyer des flocons tombant du toit enneigé. Tout a brûlé sans s'affaisser – Oleg reconnaît les silhouettes noires des chaises et des deux couches. Le baquet en zinc, pareillement charbonneux, est rempli d'une étrange matière. Oleg s'incline, creuse avec un couteau de cuisine trouvé au milieu de la vaisselle... La petite baignoire d'enfant est remplie de pommes de terre, dures comme de l'anthracite! La pensée que quelqu'un a logé ici ne le blesse pas. Au contraire, il est touché par ce dérisoire effort de survivre, constituer une provision de patates, respirer le souffle neigeux venant de la lucarne...

La table sur laquelle travaillait son père n'a pas bougé. De la maquette, en revanche, il ne reste que cette pyramide inégale de braises mortes. Des ruines. Celles dont le père rêvait. «Leur vie est libérée de la mesquine fébrilité du temps», disait-il. Oleg se rappelle aussi ces vers que son père murmurait en observant son étrange édifice: «*So hab ich dieses Schloss erbaut / Ihm mein Erworbnes anvertraut...*» (Oui, il s'est construit un château et lui a confié sa fortune...) Ces paroles, sous les combles d'un immeuble vide, sonnent avec une poignante dérision. La «fortune», cet amas de cendres!

Se servant du couteau ramassé à la cuisine, Oleg pousse les reliefs de la maquette brûlée. Les pans de son architecture calcinée s'écroulent, laissant apparaître des éclats de bois que le feu n'a pas consumés. Soudain, le métal heurte un objet plus solide! Oleg creuse avec précaution, écarte les monticules de charbon... Enfin, il pose le couteau et retire ce qui se cachait dans les profondeurs de la ruine: deux statuettes en porcelaine, un musicien serrant son violon sous le bras, une chanteuse joignant ses mains sur sa poitrine. Ce qu'il prenait, autrefois, pour un rameau de corail…

Deux figurines naïves que, enfant, il voyait sur la table de nuit de sa mère.

IV

Au lendemain de son arrivée à Berlin, il rencontre Max Pfister, auteur du film *La Tsarine rouge sang*. Le cinéaste, d'une soixantaine d'années, habite dans l'ancien Berlin-Est. « J'ai déménagé de Cologne tout de suite après la chute du Mur. Mes amis criaient au fou et, maintenant, ils m'envient. Ici, c'est beaucoup plus *in*, vous verrez, ça bouge. Toute l'avant-garde artistique viendra bientôt dans ces taudis socialistes qu'on est en train de retaper... »

Pfister s'est aménagé un appartement dans un local à mi-chemin entre une serre et un gymnase. Une verrière à six mètres du sol renvoie une lumière blafarde, la hauteur démesurée rapetisse tout – les meubles, les tableaux et Pfister lui-même qui est déjà assez petit, chauve et porte des lunettes rondes, minuscules. Sa compagne apparaît, une jeune femme blonde qui le dépasse d'une tête. Elle adresse à Oleg un salut maussade et se met à enrouler une écharpe autour de son cou.

«Tu veux boire un verre avec nous?» demande Pfister et il reçoit en réponse un bougonnement hargneux et le claquement bref de la porte.

«C'est une Tchèque», précise-t-il. L'explication est un peu courte, il ajoute en ricanant: «Je ne sais pas si elle en veut à l'Allemagne pour 38 ou bien aux Russes pour 68, ha, ha...»

Oleg opine sans trop comprendre. La langue qu'il entend lui est familière mais les sujets abordés lui échappent. Et puis, il n'a fait que marcher toute la journée, avec l'espoir de saisir, en un long regard panoramique, l'essence de sa patrie fantôme... Il s'affale sur un canapé, dans une torpeur où se mêlent la faim, la fatigue, l'égarement. Confusément, il devine que la Tchèque doit en avoir assez des traînards comme lui qui viennent voir son Max. Et que, comme toutes les femmes d'Europe de l'Est, elle aimerait un cadre plus douillet, plus cossu que ce hangar avec une verrière souillée par les pigeons. Et que... oui, elle est jeune et Max, âgé et plutôt moche...

Il a toujours imaginé l'Allemagne tel un condensé tragique de l'Histoire, de l'histoire familiale des Erdmann, entre autres. Le plus grand dépaysement, à présent, est de découvrir les petites bisbilles d'un couple, un ménage banal: un artiste vieillissant, une jeune femme originaire de l'ancien bloc socialiste et qui espère grâce à ce «vieux» s'intégrer dans la vie occidentale...

Il se secoue, attrape le verre de whisky que Pfister lui offre, puise une bonne poignée d'amandes salées. « Ne vous inquiétez pas, Oleg, on va aller manger tout à l'heure. Mais je voudrais d'abord vous montrer mon film… »

La Tsarine rouge sang date du milieu des années soixante-dix, on peut l'identifier sans regarder le générique. Dès les premières séquences, l'époque transparaît – pas tant dans la qualité technique que dans le choix des plans, le rythme. Mais surtout dans ce mélange de liberté sexuelle revendiquée et de recherche trop appuyée des nouveautés formelles… Catherine est jouée par une actrice qui porte des vêtements parfaitement inadaptés aux rigueurs des hivers russes : des peignoirs en soie, très décolletés, des tuniques… Et quand on la voit emmitouflée dans des manteaux de fourrure, on peut être certain que leurs pans vont s'ouvrir sur une poitrine bombée aux tétons écarlates…

« C'est l'archétype de la féminité animale, commente Pfister. Je voulais m'éloigner un peu de l'histoire pour faire ressortir la bestialité du désir, son immédiateté, son *Dasein*… »

Oleg remarque que la langue allemande est très outillée pour exprimer ces abstractions. En même temps, ce « faire ressortir » lui semble comique car, au lieu d'un fumeux *Dasein*, c'est surtout une grosse paire de seins qui « ressort »…

Il se hâte d'éviter le dénigrement : non, le film est loin d'être nul ! D'ailleurs, sa trame rappelle le premier scénario que lui-même avait écrit. La technique du dessin animé – le miroir se lève, on voit un amant nu dans une alcôve, Catherine fait onduler son corps pour en accentuer les galbes... Le miroir redescend et la voilà, très Sémiramis du Nord, en train de signer un décret ou de recevoir Diderot, Ségur, Casanova...

Il y a des trouvailles que même Kozine n'aurait pas dédaignées ! Le miroir vient juste de dissimuler l'alcôve et c'est l'ambassadeur de France, baron de Breteuil, qui pénètre dans le salon. Une discussion s'engage, Catherine expose sa vision des affaires européennes, le Français rétorque... Soudain, il écarquille les yeux : dans un fauteuil, tel un homme coupé en deux, est « assis » le pantalon du favori...

« J'avais un bon conseiller, explique Pfister. Selon lui, à l'époque, il y avait des pantalons en cuir, très rigides... Mais ici, c'est bien sûr une métaphore – l'extrême vacuité de ce cirque diplomatique... »

Visiblement, le cinéaste est ému : le film doit le replonger dans sa vie d'il y a vingt ans, pas vraiment la jeunesse, mais un âge où tant d'espoirs étaient encore permis... Pour ne pas le décevoir, Oleg se met à exprimer ses réactions plus énergiquement et même applaudit de temps en temps. La scène clef du film est toute proche – l'impératrice amoureuse de son étalon !

L'imminence de cette absurdité rend Oleg anxieux. Il faudra se prononcer, sans blesser l'Allemand qui se montre si amical.

«Voilà, ça débute!» prévient Pfister, devenant presque solennel. On voit que, vingt ans plus tard, il croit encore avoir accompli une avancée novatrice par sa façon de filmer.

Des chevaux envahissent l'écran, blancs, comme Orlik, l'étalon préféré de Catherine. La musique imite le *Boléro* de Ravel, mais en plus lancinant encore. Des hennissements, retravaillés par le mixage, se prolongent en gémissements féminins. Ces corps blancs s'entre-choquent, engageant une ronde nuptiale. La tsarine apparaît, vêtue de soie. Étendue sur un drap? Non, c'est un jeu de caméra – elle est debout, les yeux mi-clos, le dos serré contre le flanc d'Orlik. Elle se retourne, enlace le cou de l'étalon, l'embrasse, gémit. L'œil violet du cheval, filmé de près, devient flou, se confond avec l'œil de la femme. Retour aux chevaux – cabrements, torsions de cous, fouettements de crinières, reflets de croupes. L'accouplement de deux bêtes, puis de deux autres. Retour vers la tsarine, nue – ses seins s'écrasent dans un va-et-vient rythmique contre le poitrail d'Orlik… Et de nouveau, la course des chevaux… Et encore la tsarine – un rapide envol de la caméra la fait disparaître sous la masse musclée d'Orlik, puis la retrouve, prostrée, les bras en croix, sa chevelure mêlée à la crinière du cheval…

Au restaurant, Pfister garde cet air grave et las qu'Oleg a souvent remarqué chez les réalisateurs après une première.

«Même pour l'époque, c'était très osé. Vous imaginez ça aujourd'hui! Depuis des années, on macère dans le puritanisme. Essayez de filmer un sexe dans un vagin, ce qui quand même se produit lorsque deux personnes font l'amour, vous êtes classé X vite fait. Et chez moi, il s'agissait d'un cheval!»

On apporte les plats – les grandes assiettes avec, sur la bordure, des motifs géométriques : des étoiles rouges, des marteaux et des faucilles, tout le kitsch socialiste qui devient à la mode. Le restaurant, situé dans l'ancien Berlin-Est, semble suivre la tendance. Sur les murs, des drapeaux soviétiques, sans doute récupérés après le départ des troupes, quelques affiches de propagande est-allemandes et, dans un coin, ce mannequin vêtu d'un long manteau militaire.

Oleg mange, sans cacher sa faim. «On me prendrait pour un élément du décor, se dit-il, un Soviétique affamé.» Pfister fume, boit, ne touche presque pas à la nourriture. Il est heureux de sa «première», content de ce spectateur enthousiaste qui dévore son escalope panée.

«Oui, comment filmer la tsarine et ce sacré Orlik pour qu'on ne crie pas à la zoophilie? J'ai réécrit la scène mille fois. Et puis, paf! Eurêka! Il fallait la couper en deux. D'un côté, des chevaux qui s'accouplent (il n'est pas interdit de le montrer), et de l'autre, juste suggérés, les ébats de Catherine. Et visuellement, c'était irréprochable, non?»

Oleg le confirme, réussit même à évoquer l'«ambivalence ontologique des pulsions humaines», tout en piquant avec sa fourchette les dernières frites qu'un serveur est sur le point de lui enlever. Il ajoute deux ou trois compliments pour ne pas paraître impoli, assure qu'on sent dans le film le travail d'un cinéaste créatif…

C'est cet éloge qui est de trop. Pfister se crispe, soudain plus étroit d'épaules. L'excitation de la «première» est en train de se dissiper et, de réalisateur quadragénaire d'il y a vingt ans, Max redevient ce qu'il est – ce petit homme au crâne qui luit sous un abat-jour récupéré dans des braderies post-socialistes.

Pour ne pas le laisser glisser sur cette pente, Oleg renouvelle ses compliments, sur un ton plus appuyé. Oui, filmer ces amours chevalines, c'était un sacré défi, il fallait se creuser les méninges… Il sait pourtant que c'est là le défaut principal du film: à tout moment, on devine la recherche des artifices pour pouvoir montrer cet accouplement saugrenu. Tant d'efforts et, comme résultat, ce film moyen, tapageur, faux. Une foule de figurants, cette pauvre Catherine sans doute incommodée par le poids de ces seins ballonnés, et aussi ce troupeau de chevaux dont il fallait surveiller l'humeur érotique. Tout ça pour ça!

Pfister tente un rictus malaisé. Au début, arrivant au restaurant, il a imité un habitué condescendant – un Allemand de l'Ouest débarquant dans cette RDA déchue. Avec une supériorité paterne de colonisateur, il a tutoyé les serveurs, tendu sa main au cuisinier... Il ne joue plus, devinant les pensées de ce Russe qui vient d'avaler son dîner : tout ça pour ça...

Dans un dernier réflexe de comédie mondaine, il annonce entre deux gorgées d'alcool : « À propos, j'ai croisé plusieurs fois votre Tarkovski. Un type original, un peu fou, un mystique... »

Il s'interrompt, sentant la fausseté de son ton. Son intonation se colore d'une aigreur sarcastique.

« Oui, Tarkovski... Une statue vivante. Une victime de la dictature du Kremlin. C'est ainsi qu'on le présentait dans les médias. Il prenait des postures accablées, on aurait dit un bagnard de la Kolyma – tout cela dans son terrible exil de Venise où il vivait, accueilli par de généreux mécènes. La première fois, j'avais envie de m'agenouiller : un saint, un génie bâillonné par le totalitarisme ! Puis, j'ai réfléchi... C'était le temps où je cherchais à rassembler quelques millions de marks pour produire l'un de mes films. Vous connaissez la chanson : on quémande, on se prostitue, on se tue à réunir les trois bouts de chandelle offerts par un producteur et une paire de vieilles chaussettes que vous concède une chaîne de télévision... Et donc, je vois Tarkovski, ce martyr crucifié, j'écoute ses plaintes sur le calvaire qu'il a vécu pour sortir ses films en URSS… Il en a fait plusieurs, mine de rien. Et du coup, je me demande : mais, attends, qui est-ce qui les a financés ? Ben… L'État soviétique, bon sang ! Oui, ces bourreaux lui allouaient un budget, souvent rondelet, car Tarkovski ne lésinait pas sur le décor. Donc, ces ennemis de la liberté soutenaient un réalisateur qui fabriquait des œuvres peut-être pas hostiles, mais indifférentes aux idéaux communistes. Et surtout, souvent, ces films, prétentieusement embrouillés, étaient inaccessibles aux… disons, aux masses travailleuses. Tous ces micmacs d'esthète dans son *Miroir*, je les ai toujours trouvés ennuyeux, pour ne pas dire chiants… Mais l'essentiel n'est pas là. Voilà quelqu'un, me dis-je, qui pleure sans cesse et dont les films sont tournés grâce à l'argent des pauvres kolkhoziens qui ne comprennent rien à ce cinéma fait pour une petite élite blasée. Et dès que ce crucifié arrive sur le Grand Canal, rebelote ! L'Occident ne lui convient pas non plus et il nous abreuve de sa *Nostalghia*, encore plus rasante que le reste. Et il y a des crétins qui prennent le relais des kolkhoziens et financent les états d'âme filmés de notre martyr… »

Pfister termine son réquisitoire dans la rue. Il marche en titubant, gesticule. « Il ressemble beaucoup à Woody Allen », se dit Oleg. Avec une joie à la fois égoïste et amère, il comprend que sa venue à Berlin aura été utile :

le film de Pfister est, en partie, ce que voudrait faire Jourbine. Et c'est un ratage évident.

Ils arrivent devant l'immeuble où habite le réalisateur. «Liberté de création, ha, ha, ha! Et qui me laissera filmer une autre Catherine – cette gamine de quatorze ans qui s'en va en Russie pour ne plus jamais revenir? Pour ma *Tsarine*, j'ai trouvé du fric parce que tout le monde voulait la voir baiser avec ses favoris, c'est tout ce qui les intéressait – une grosse Allemande besognée par des grenadiers en rut. Et comme on était en pleine révolution sexuelle, il fallait montrer aussi ce cheval...»

Il s'arrête, jette à Oleg un regard peiné. «Je me suis battu! Même après le film, je rêvais encore de réécrire sa vie. Mais le temps a passé et maintenant, c'est trop tard... Vous pouvez dormir chez moi, si vous voulez... Comment? Ma copine? On lui dira que vous êtes un agent du KGB, on soupçonne toujours les Russes, vous savez... Bon, alors, à la prochaine...»

Ils restent encore une minute sous la neige, un peu indécis, conscients tous deux qu'ils ont peu de chance de se revoir et que leur rencontre a réuni des pays engloutis, des époques effacées. Et pour Oleg (Pfister le sait), c'était la première vraie soirée sur son «sol natal».

Pour éviter des adieux trop aigres, Oleg demande: «Dans le film de Kozine, Catherine était jouée par Eva Sander. Vous ne savez pas sur quoi elle travaille maintenant?»

Pfister chuchote comme un secret : «Un conseil de vieux. Ne revenez jamais vers les femmes d'autrefois. Douleur garantie. Vivez dans le présent, il ment mieux car il change tout le temps… Tiens, voilà mon présent qui arrive!»

Oleg se retourne et reconnaît la Tchèque. Il remercie Pfister, se sauve. Celui-ci, sans doute désenivré par l'air frais, lance d'une voix étonnamment grave : «Et oubliez Catherine! Impossible de filmer une femme qu'aucun homme n'a aimée…»

Ce sont ces paroles de Pfister – «une femme qu'aucun homme n'a aimée» – qui changent tout.

Le lendemain, Oleg comptait prendre le train pour Kiel qu'il a souvent imaginé : un garçon de onze ans et une petite fille, d'un an sa cadette, se tiennent par la main en regardant la neige tomber sur la mer. La première rencontre du futur Pierre III avec la future Catherine II... Il voulait voir ces lieux pour se convaincre que la vie de la tsarine se résumait à ces deux histoires : une juvénile rêveuse dans son conte de fées allemand, une impératrice «rouge sang» dans sa cruelle saga russe...

Le matin, il repère sur la carte de Berlin l'adresse d'Eva Sander. La chance qu'elle habite au même endroit est infime, il le sait, mais autant effacer aussi cet espoir-là.

Le quartier, proche d'Heinersdorf, dans l'ancien Berlin-Est, lui rappelle les villes russes – ces maisons basses, ces rues bordées d'arbres, des voies de tramway, des bouts de terrains vagues. Une ressemblance sans doute liée à la guerre qui a façonné les villes des deux pays.

Un immeuble ancien, une cour enneigée. Oleg s'arrête, regarde les fenêtres – ces plantes chétives derrière les vitres, on les verrait dans n'importe quelle bourgade russe. La porte d'entrée s'ouvre, un vieil homme sort, se retourne, salue une voisine qui le suit... Une brève panique empêche Oleg de la reconnaître. Le voyant, elle fait demi-tour et se réfugie dans l'entrée!

Il a juste le temps de croire à l'esquive. La femme réapparaît, traînant un cabas à provisions sur roulettes. Oleg reprend ses esprits, frappé par la banalité de la situation: une femme qui est remontée chez elle pour chercher un cabas et qui, maintenant, reprend son chemin.

Eva Sander qu'il n'a pas revue depuis quatorze ans...

Dans ce premier regard, brouillé par l'émotion, il note qu'elle semble avoir rajeuni, ce qui est illogique, et pourtant son visage a une simplicité désarmée, un reflet de fragilité enfantine.

Oleg la laisse avancer puis l'interpelle à mi-voix, en russe: «Votre Majesté, où allez-vous de ce pas conquérant?»

Il s'attend à un grand «Ah!» d'ébahissement, à une effusion et, peut-être, à des larmes. Eva tourne la tête, lève les sourcils. «Oh, mais c'est *Herr* Erdmann en personne!»

Elle lui serre la main, s'enquiert machinalement :
«Vous êtes arrivé quand? Vous passerez un peu de
temps à Berlin?»

Oleg commence à répondre, avec un sourire figé
aux lèvres, éprouvant le dépit qu'on ressent en racontant une blague qui se révèle être connue... «Parfait,
le coupe Eva. On prendra un thé tout à l'heure. Là,
je dois faire mes courses... Si vous n'avez rien prévu,
accompagnez-moi...»

Il se retrouve à pousser un Caddie, remarquant qu'à
sa liste d'achats Eva ajoute deux ou trois bricoles pour
«leur» thé. Le détail lui paraît à la fois comique et
agaçant : un paquet de biscuits en plus, le seul changement que provoque son arrivée... À la caisse, Eva sort
une poignée de pièces qu'elle rassemble en rang pour
compter. Oleg ne sait pas s'il s'agit de la radinerie
occidentale ou bien, tout simplement, du manque
d'argent dans cette Allemagne socialiste qui découvre
l'économie réelle.

Sur le chemin du retour, il apprend pourquoi
sa venue a peu étonné Eva. À l'ouverture des
frontières, les Russes se sont précipités en Europe.
«J'ai revu plusieurs personnes de l'équipe de Kozine,
confie-t-elle. Ils viennent en espérant trouver du
boulot... Quand ils arrivent, ils font comme chez
eux, autrefois : trouvent mon adresse et sonnent à la
porte.

– J'allais faire pareil. Pardon. Je sais qu'en Occident il faut téléphoner à ses amis six mois à l'avance…»

Difficile d'éviter ce ton acide. Ils essaient pourtant de s'en défaire, en jouant à une vieille camaraderie retrouvée.

L'appartement d'Eva est grand, deux vastes pièces, mais l'empreinte de l'ancienne vie socialiste transparaît – dans l'aspect des meubles, la fatigue des couleurs, la cuisine qui fait penser aux logements soviétiques. Les objets venant d'Italie qu'on voit ici ou là ressemblent à des babioles touristiques.

Ils boivent le thé, simulent l'insouciance, mais la tension est présente, due à l'effort avec lequel ils voudraient quitter le passé, ce temps où Kozine tournait son film à Leningrad. Après le tournage, ils partaient dans de longues balades, loin des lieux fréquentés… L'époque du Mur, des frontières étanches. Un monde carcéral. Et rempli de rêves…

«Vous savez quel chef-d'œuvre j'ai vu hier soir?» demande Oleg en écarquillant les yeux. Il raconte sa visite chez Max Pfister, *La Tsarine rouge sang*… «Un scénario très sportif: le sexe était filmé comme une empoignade de deux lutteurs. Et puis, ce cheval!»

Il parle en forçant le sarcasme, en présentant Pfister comme un obsédé sexuel, un vieil aigri qui s'en prend au génie persécuté qu'était Tarkovski.

«J'ai failli jouer dans l'un des films de Max…» Eva le murmure en regardant par la fenêtre.

«J'espère que ce n'était pas dans sa *Tsarine rouge sang*! s'écrie Oleg en imitant l'effroi d'un prude.

– Non, beaucoup plus tard. Déjà après la chute du Mur. Un scénario sur la vie de mon père. Je vous ai parlé de son passé de soldat: la reconnaissance aérienne au-dessus de Leningrad… Pfister s'est battu pour trouver un producteur. Mais le projet était jugé démodé…»

Oleg comprend soudain ce qui, la veille au soir, l'a étonné en Pfister. Oui, ce côté démodé. Allemand de l'Ouest, Max appartient, avant tout, à l'époque de la guerre, du Mur, une génération finalement très proche d'Eva…

Il ne cherche plus à ironiser.

«Et depuis, vous avez continué à jouer? J'imagine que dans le cinéma, aussi, beaucoup de murs sont tombés…»

Eva met le couvert – il n'a pas remarqué que le temps de déjeuner est arrivé. Des pâtes, des poivrons, des olives et une bouteille de vin italien.

«Oui… En bonne Allemande disciplinée, j'ai tout fait pour m'intégrer au cinéma qui clamait sa victoire sur le totalitarisme. Après la réunification, on nous proposait des rôles bien définis: ceux de pauvres cons de l'Est qui, en arrivant dans le paradis de l'Ouest, commettent plein d'impairs parce qu'ils n'ont jamais

goûté, par exemple, à ses pâtes ou bu du chianti. Des parents pauvres qui font rire les Allemands de l'autre côté du Mur... Il fallait que je gagne ma croûte, donc j'ai tourné dans trois ou quatre de ces navets. Et puis...»
Elle se lève, allume une applique au-dessus de la table. L'après-midi est gris, il pleut, la neige fond et découvre le sol qui avale la lumière.

«Et puis, ce cinéma libéré des entraves totalitaires s'est intéressé à la dernière guerre et l'on a vu des films où Hitler semblait presque attachant, surtout au moment de la chute du Reich. Du coup, ce sont les Russes qui devenaient de plus en plus affreux. Ils bombardaient, tuaient, pillaient. C'était si malignement conçu que les spectateurs se demandaient : "Mais qu'est-ce que ces barbares sont venus faire à Berlin ?" On m'a proposé un rôle : une Berlinoise violée par un soldat russe. Des viols ont été commis par toutes les armées du monde. Mais l'URSS venait de tomber et les réalisateurs, en bonnes putes flairant le vent, se sont mis à réécrire l'histoire. On ne montrait plus que cela : les Russes viennent, écrasent la résistance héroïque de l'armée allemande, violent tout ce qui bouge... J'ai refusé ce rôle, ensuite un autre, du même acabit. On m'a cataloguée parmi les nostalgiques du Mur et oubliée...»
Elle se tait, le regard fixé sur le défilé des ombres que trahit le frémissement de ses cils. Oleg tente une généralité apaisante :

«C'est la rançon de la liberté, Eva. Chacun dit ce qui lui passe par la tête, parfois on délire carrément : ces Russes qui, au lieu de faire la guerre, ne pensent qu'à forniquer. On se demande comment ils sont parvenus de Stalingrad à Berlin… Il vaut mieux ce délire que la censure soviétique. J'en sais quelque chose…»

Il sirote son vin, avec la mine d'un vétéran du cinéma en temps de dictature. Eva lui jette un regard de moquerie lasse.

«Le problème, cher Oleg, c'est que malgré votre terrifiante censure soviétique, vous avez réussi à sortir un court-métrage sur la vie de votre père. Je l'ai vu, ce *Retour dans un rêve*. Un très beau film ! Et nous, Pfister et moi, malgré la liberté occidentale, nous n'avons pas pu faire le nôtre. Sur mon père à moi. Un paradoxe, n'est-ce pas ? Quant à Tarkovski, il n'aurait pas eu un mark pour produire ses premiers films en Occident. En cela, Max a tout à fait raison. »

Le repas est fini, ils boivent leur café, face à la fenêtre déjà sombre, rayée par la neige humide. Oleg comprend qu'il lui est impossible de s'en aller sur cette note-là. Il prend un ton enjoué, comme pour rappeler un souvenir, une passion partagée :

«Vous savez, je n'ai pas abandonné cette idée d'écrire sur Catherine et Lanskoï. J'ai souvent parlé avec un historien, un vieux spécialiste du siècle catherinien, Lourié. Il a mis la main sur un fait très peu connu : sous couvert de collection de monnaies, Lanskoï accumulait des devises étrangères pour leurs dépenses de voyage...»

Eva s'est levée et se tient maintenant debout, le dos contre le rayonnage d'une bibliothèque. L'ombre agrandit ses yeux et, de nouveau, Oleg se dit qu'un reflet de jeunesse éclaire ce visage légèrement anguleux. Elle parle sans plus cacher son amertume :

«Votre historien devrait vous parler de la mort de Lanskoï... Oui, je sais, deux versions possibles : le poison administré par les agents de Potemkine ou bien la consommation excessive d'aphrodisiaques. Ce qui est encore plus tragique, ce sont les événements survenus après l'enterrement. Catherine est effondrée, très proche du suicide – pour la première fois de sa vie. Une femme de cinquante-cinq ans, incroyablement juvénile et énergique pour son âge, elle sombre dans une vieillesse précipitée. Et c'est à ce moment qu'on découvre la tombe profanée de Lanskoï. Son cadavre traîne par terre, dénudé. Un carnage : le visage haché, le ventre ouvert, les parties génitales arrachées... Les historiens disent : "Macabre !" et se bouchent le nez. Et pourtant, on touche ici à l'essence même de la société. Elle surveille avec vigilance ceux qui tentent de sortir du jeu. Même s'il s'agit d'une tsarine amoureuse qui ne veut plus jouer. On poursuit les imprudents jusque dans leur tombe... Un voyage en Italie, dites-vous ? C'était un rêve. Comme nos errances à Leningrad.

Nous croyions que le monde allait changer – grâce à nos films qui déjouaient la censure, grâce à la chute du Mur. Mais le monde est un plateau de tournage, les rôles sont distribués, le scénario est toujours le même et le réalisateur déteste qu'on quitte le plateau sans autorisation…»

Elle sourit, repose sa tasse, branche un ordinateur posé sur une longue table encombrée de livres.

«Ne m'en veuillez pas pour ce détour métaphysique. C'est notre spécialité allemande, vous savez bien. Il est temps de reprendre le rôle qui me fait vivre. Je suis traductrice. Le russe que parlait Catherine m'est très utile, à moi aussi. Elle et Lanskoï s'amusaient à traduire d'une langue à l'autre. Parfois du suédois, *Le Livre des rêves* de Swedenborg. "Je marchais à travers une ville qui me paraissait si familière. Soudain, je compris qu'il s'agissait d'une ville inconnue…" Ils devaient imaginer ainsi les villes de leur futur voyage… Allez, rentrez bien. Je suis désolée de ne plus être la Catherine d'autrefois…»

Dans la nuit, Oleg comprend pourquoi Eva semble avoir rajeuni. Jouant Catherine à l'âge mûr, elle était grimée en femme de cinquante, soixante, puis soixante-dix ans. La dernière image qu'il a gardée se rapporte au voyage en Crimée, en 1787, Catherine avait cinquante-huit ans : une silhouette, en robe longue, entre deux rangées de peupliers sur un chemin menant vers la mer... Une logique plus évidente encore : il avait alors vingt-huit ans, Eva – dix ans de plus. Aux yeux d'un jeune homme, c'était déjà le seuil du vieillissement pour une femme. Aujourd'hui, il en a quarante-deux et une femme d'une cinquantaine d'années lui paraît presque de la même génération que la sienne...

Il cherche à s'embrouiller dans ces calculs, mi-arith-métiques, mi-sentimentaux. De temps en temps, il rallume, feuillette le cahier où, avant le départ, il a marqué ses futurs itinéraires et les sujets qu'il espérait aborder avec Pfister... Là, par exemple, des notes sur ce que lui racontait Lourié : Catherine apprend que Pierre le Grand a inventé un échafaud mobile pour pouvoir exécuter les opposants à travers toute la Russie – en un tour de main, le décor était planté et les têtes roulaient. La tsarine maudit cette barbarie vagabonde. Avant de découvrir, à la fin de sa vie, qu'au pays de son cher Voltaire, c'est la guillotine qui devient ambulante. Une machine bien plus productive que le lourd billot ébréché des Russes...

Cette note aussi : après Kiel, il voudrait aller à Kassel. Certains de ses aïeux étaient originaires de cette ville.

Et puis, au crayon rouge : ne pas oublier d'envoyer une carte à l'enfant de Jourbine, à Lugano. Il le fera demain...

Il se réveille à dix heures passées, bondit, se traite d'idiot, constate qu'il a raté le petit déjeuner et sans doute son train pour Kiel. En tout cas, celui du matin. Il ouvre les rideaux et tout de suite sa précipitation s'apaise. Une chute de neige dense, lente, une ville disparaissant sous le blanc et même l'affreuse moto qu'il a repérée, hier, sous sa fenêtre, ressemble à un bel animal duveteux... Voilà la cause de son sommeil léthargique : l'épais voile de flocons qui amortit les bruits, calme la vitesse...

Dehors, il est ébloui par la neige. Il imagine Eva marcher dans ces rues blanches, dans ce tournoiement hypnotique. Avec une légèreté qui le surprend lui-même, il change ses plans, entre chez un fleuriste, cherche un bouquet qui pourrait… Il ne sait pas au juste ce qu'il voudrait offrir. La vendeuse lui montre un arbuste sec, gris. «Plus tard, dans deux ou trois semaines, ça va être couvert de fleurs…», dit-elle. Il part avec ce pot d'où sort ce qu'on prendrait, de loin, pour un arbrisseau mort…

«Si elle n'est pas chez elle, je le laisserai devant sa porte», se dit-il.

Et c'est à ce moment qu'il voit Eva. Elle attend à l'arrêt des trams, dans la petite foule blanchie par la neige. Il remarque ce qu'il n'a pas discerné la veille: ce vieux manteau qu'elle porte et sa façon de se courber un peu, de cacher son visage – non pas des flocons, mais des regards. Sous le bras, elle serre des classeurs dans un sac de plastique transparent…

«Je voulais vous offrir cela, avant mon départ… Ça ne paie pas de mine, mais c'est un arbuste qui va fleurir longtemps…» Il lui tend la plante.

Le tramway arrive. Eva hésite, balbutiant des remerciements, des adieux, fait un pas pour monter, puis recule. Sa voix est à la fois ferme et détachée: «Après tout, je peux partir plus tard… Ou même ne pas partir du tout!»

Le tramway disparaît, ils restent l'un face à l'autre, s'observant intensément, comme se reconnaissant enfin. Puis, sans se concerter, ils quittent l'arrêt.

UNE FEMME AIMÉE

«Vous êtes couverte de neige…», dit Oleg quand ils se retrouvent dans l'entrée de l'immeuble.

Et il se met à secouer la couche de flocons sur les épaules d'Eva. Elle imite son geste, le débarrassant de sa carapace blanche.

«Bon, je vous laisse, Eva, je dois aller à Kiel…

– Je peux vous emmener, si vous voulez. J'ai une voiture…»

Ils devinent qu'un seuil est franchi – non pas dans l'intimité mais dans la liberté de ce qu'ils peuvent faire de leur vie. Une vie qui, durant toutes ces années, était dissimulée sous un flux d'inepties, d'attentes inutiles, d'avidités, de craintes. Tout peut basculer maintenant. Comme autrefois, par un soir d'hiver, au bord du petit canal des Cygnes…

«Kiel, c'est vraiment le bout du monde, Eva… Quatre ou cinq heures de voiture…

– Le plus dur sera de déneiger mon tacot…»

Dans l'appartement, elle pose la plante au milieu de la pièce, tel un arbre de Noël, l'arrose, commence à remplir un sac de voyage. Puis, s'interrompt: «Non, si je commence à tout préparer, on ne partira jamais. Allons, on trouvera ce qu'il faut en route…»

Ils s'en vont, conscients que la vie qu'ils quittent est encore très proche, forte de sa gravitation sournoise.

Il ne s'agit pas de déneiger la voiture mais plutôt de la retrouver sous un tumulus blanc. Ses contours apparaissent, Oleg reconnaît le vieux break qu'il a vu, jadis, à Peterhof… Ils parviennent à l'ouvrir, s'installent avec l'impression d'être dans un igloo, attendent que les vitrent se déglacent.

« J'ai oublié le nom de cet acteur français, dit Eva. Il portait toujours des chapeaux extravagants. Quand on lui demandait où il les avait trouvés, il répondait : je ne les trouve pas, je les garde… Un peu comme cette antiquité. »

La vitre dégivrée laisse apparaître une ville qui semble très différente de celle qu'ils voyaient une heure auparavant.

Ce sentiment va s'amplifier à mesure qu'ils progresseront vers la Baltique. En fait, ils penseront de moins en moins au monde qu'ils ont quitté.

«En vertu de je ne sais quelle loi, c'est Louis XV qui pouvait autoriser Catherine à porter le titre d'impératrice. Il a tardé à lui octroyer ce droit. Cette parvenue l'irritait. Il obéissait à ses maîtresses, se plaignant d'avoir moins de pouvoir qu'un colonel. Catherine gouvernait seule et faisait de ses amants des colonels, des généraux et même des rois! Louis XV et la tsarine se détestaient à distance, Catherine attisant la hargne des philosophes, le roi souhaitant "rejeter la Russie dans ses froids déserts". À la mort de Lanskoï, Catherine, déjà anéantie, apprend l'horreur : la dépouille de son amant vient d'être profanée. Or le roi a vécu le même drame : pendant qu'il pleurait madame de Vintimille, la populace s'empara du cadavre, le tortura, le souilla...»

En route, Oleg évoque ce passé qu'il n'a jamais réussi à raconter. Une chaîne de discrètes vérités, à l'écart du grand péplum de l'Histoire. Parfois Eva intervient, sans détacher son regard du fouettement blanc sur le pare-brise.

«Cette histoire cachée se fait toujours en boucles. Vous vous souvenez, dans le film de Kozine : Pierre III est un bon violoniste mais Catherine dénigre ce don musical. À la fin de sa vie, elle doit subir l'archet de son jeune amant Zoubov – des grincements de gonds mal huilés...»

Oleg sourit, heureux de retrouver cette langue commune qu'ils parlaient autrefois. «Détrôné, Pierre demandait qu'on le laisse partir en Allemagne, avec son violon sous le bras. On l'a tué. Et c'est peut-être ce violon-là que Zoubov martyrisait...»

Le soir, ils atteignent la Baltique, longent la côte orientale de la baie de Kiel, dépassent Laboe, s'arrêtant à l'écart des réverbères. Dans la profondeur argentée de la mer, la neige continue de tomber, en grands flocons lents.

«Probablement, ils se tenaient là, murmure Oleg. Deux enfants qui ne savaient rien au-delà de cet instant. Les futurs tsar et tsarine. Vingt ans plus tard, le garçonnet qui regardait la neige tomber sera cet homme battu à mort, étranglé, défiguré par les amants de celle qui fut la petite fille dont il serrait la main... Cette scène me poursuit. La beauté de cet instant et puis, une déferlante d'absurdités – complots, conquêtes, émeutes, tueries, bref, l'Histoire. Tout le monde comprend la folie de cette façon d'exister et pourtant, à chaque génération, cela recommence. Imaginez : sur l'autre rive de cette baie se tiennent en ce moment deux enfants grisés par ces tourbillons blancs. Dans dix ans, ils seront enrôlés dans les jeux de ce monde, sa voracité, ses mensonges, sa laideur… »

Eva lui prend le bras, le secoue doucement.

« Et pourtant, vous avez déjà écrit deux films sans avoir jamais parlé de la beauté que vivaient ces enfants. Vous racontiez ce qui arrivait après cet instant – les alcôves, les guerres, la rapacité des désirs… L'Histoire… Comment voulez-vous que cela ne se reproduise pas si personne n'ose dire qu'une autre vie est possible ? »

Vient de nouveau la sensation d'une frontière dépassée, d'un temps qui se déploie autrement. Installés dans la voiture, ils restent sans bouger, conscients que revenir à Berlin, reprendre la vie d'avant est, désormais, impossible. Eva parle sur un ton d'excuse :

« Ne croyez pas que je vous reproche un manque de courage. Je vous ai parlé, un jour, de cet ami italien, Aldo Ranieri, qui a écrit un scénario sur la vie de Catherine. Nous avons commencé à tourner, mais Aldo était très affaibli par sa maladie, le producteur nous a lâchés et… Et, de toute façon, nous n'arrivions pas à dire autre chose que la chronique bien connue du règne : coup d'État, conspirations, favoris… Un jour, Aldo a eu l'idée de filmer ce qui échappait à cette farce. Comme cet instant, à Kiel… Et aussi l'amour de Lanskoï… Nous avons tourné les premières scènes et c'est là où le producteur nous a coupé les vivres… Ces dernières années, j'avais très envie de revoir ce film inachevé. La sœur d'Aldo en a gardé une copie dans sa maison, près de Ravenne…»

Oleg se rappelle une scène qu'il n'a jamais réussi à imposer dans un film : la tsarine et Lanskoï en train de tracer l'itinéraire d'un voyage secret…

«Vous savez, Eva, j'ai apporté les cartes que vous m'aviez données, oui, les "cartes de Lanskoï"… Le nord de l'Italie y est, peut-être jusqu'à Ravenne. J'ai un visa valable un mois, nous avons le temps d'y aller…»

Eva rit doucement, fermant les yeux, se frottant le front.

«Il faudra qu'avant je traduise les œuvres complètes de Pouchkine, pour pouvoir payer l'essence et le reste…

— Écoutez, je ne veux pas me faire passer pour un oligarque russe mais Catherine m'a rendu presque riche. Cet affreux feuilleton de Jourbine a drôlement rehaussé mon standing social. Je me suis même acheté un costume italien très cher que je n'ai jamais vraiment porté : quand je le mets, mon appartenance sexuelle devient incertaine. C'est Jourbine qui le dit. Bref, j'ai amené le maximum de devises qu'on peut sortir de Russie : dix mille dollars. Il m'en reste, au moins, huit. Ça doit suffire…»

Le soir, à l'hôtel, ils étudient les photocopies des cartes, collées l'une dans le prolongement de l'autre, et qui, au milieu d'une Europe qui n'existe plus, laissent apparaître un tracé sinueux, un rêve vieux de deux siècles.

Dans leur traversée de l'Allemagne, du nord au sud, ils s'éloignent parfois de l'itinéraire des cartes, passent par des villes dont Oleg a entendu ses parents parler. Des villes où ses aïeux avaient des racines et qu'ils quittèrent, un jour, invités par une tsarine russe. « Tout cela à cause de la petite princesse qui a décidé de venir en Russie… »

Souvent, la façade d'un palais, sous un soleil bas, lui paraît douloureusement familière. Oui, il l'a déjà vue ! Non pas sur une photo, ni dans un film, mais dans l'étagement fantasque de la maquette édifiée par son père. Il se rappelle cette voix dont il devine à présent toutes les inflexions, enthousiasmes touchants et peines cachées : « Je t'ai parlé de cette belle forêt de Reinhardswald, on y trouve le château de Sababurg. Regarde, je suis en train de le construire… » Le père commence à chantonner : « *So hab ich dieses Schloss erbaut…* » Il s'interrompt, observe son fils avec une compassion désemparée : « Tu le connais, ce château, sans l'avoir jamais visité.

Quand tu étais petit, ta mère te racontait des contes
qui se déroulaient à Sababurg… »

À Kassel, dans la vitrine d'un antiquaire, près de
leur hôtel, Oleg voit une vieille lanterne magique,
très semblable à la relique conservée par les Erdmann,
depuis des générations. Des personnages en perruque
qui tournent dans une lente répétition des scènes sans
développement possible, sans issue… Ce petit cercle
lancinant des figurines, dans l'étroitesse vitrée de la
lanterne, le frappe par sa folie : le monde des humains
n'est pas différent ! Le même manège qui cache la gesta-
tion des guerres, le mûrissement des carnages. Le grand
parc où Eva l'emmène a été aménagé sur les décombres
de la ville de Kassel rasée par les bombardements. Avec
une perplexité qui l'étouffe, Oleg se dit que les figurines
de la lanterne magique tournaient avant le désastre puis,
le ressort remonté, ont repris leur ronde. Et cette beauté
des arbres enneigés dissimule, en vérité, des ruines, des
vies brisées, des milliers de morts…

Leur voyage lui semble un projet dément, une tentative dérisoire de s'opposer à la rotation du monde. Il
devine le même doute chez Eva. De retour dans leur
chambre, avant d'enlever leurs manteaux, ils restent
l'un face à l'autre, confus, attendant que l'aveu de
cet échec soit dit. Puis, soudain, ils s'enlacent dans
une étreinte gauche, muette, comme s'ils voulaient se

protéger d'une explosion… Et la nuit, leur première nuit d'intimité, Oleg comprend que l'amour peut être aussi cette tendresse qui protège, qui suspend la douleur, qui rend essentiel le reflet neigeux venant de la fenêtre jusqu'à cette main féminine dont les doigts frémissent dans le sommeil. Une certitude très simple : leur voyage avait pour destination cette ville assoupie, cette chambre donnant sur les grands arbres blancs, ce reflet bleuté de la nuit que ses lèvres effleurent sur la main de la femme.

De Stuttgart, Eva appelle son bureau de traduction, réussit à négocier un délai. Oleg essaie plusieurs fois de joindre Jourbine, en vain. Il finit par téléphoner sur le portable de Tania qui s'exclame : «Ah, ça y est, tu as retrouvé ton identité teutonne!» Le constat est suivi d'un hurlement : «Mais ça va me coûter un million, ce coup de fil! Ton Jourbine a été arrêté, il va être jugé pour des malversations financières… Ciao!» Une accusation assez banale, pense Oleg, cela permettra aux «chasseurs» de dépecer les entreprises que Jourbine dirigeait.

Il parle à Eva de l'incarcération de Jourbine et de l'enfant qui vit à Lugano, une petite fille à qui, de Berlin, il a oublié d'envoyer une carte postale. «Nous pourrons aller la voir, c'est presque sur notre route, propose Eva. À moins que les Suisses ne vous interdisent l'entrée sur leur territoire. Vous n'avez pas de visa…»

Ils traversent la frontière tôt le matin, Oleg se cachant sur la banquette arrière, sous les vêtements. «S'ils vous trouvent, faites semblant de dormir, conseille Eva. Du moment que vous n'avez pas les poches pleines de montres…»

Une fois en Suisse, ils décident de traverser le pays sans y passer la nuit, toujours à cause de cette absence de visa. Ils roulent, se relayant au volant, dormant à tour de rôle et réussissent à atteindre Lugano vers trois heures de l'après-midi. «Il faudrait acheter un cadeau à la petite», suggère Eva. Oleg se souvient que Jourbine lui a parlé des poissons avec lesquels l'enfant communiquait. Ils achètent deux poissons, assez banals mais se débattant énergiquement dans un sachet en plastique transparent où le vendeur met, avec l'eau, aussi un peu d'algues.

Le règlement de l'internat où séjourne Nina ne s'oppose pas, en principe, à leur visite. «Nous sommes un couple. Tout seul, ils ne me laisseraient jamais approcher l'enfant», chuchote Oleg à l'oreille d'Eva, pendant que l'adjointe du directeur consulte un gros cahier de visiteurs. Soudain, le visage de la femme se crispe, elle les prie d'attendre et disparaît derrière la lourde porte du bureau voisin. «Au pire, nous lui demanderons de transmettre les poissons à l'enfant…», se disent-ils.

L'adjointe revient avec un homme très rond, très blanc de peau et dont le regard laisse filtrer une gêne sincère.

«Nous sommes très contents de pouvoir parler aux amis de monsieur Jourbine, car... c'est un peu délicat... mais ses versements ont déjà un mois de retard. Et depuis une semaine nous ne parvenons pas à le joindre...»

Oleg s'étonne de son propre sang-froid («Mon expérience de cabotinage au cinéma n'aura pas été vaine»). Il parle, imitant une parfaite solvabilité : «Docteur, je vous le dis à titre très confidentiel. Monsieur Jourbine s'apprête à occuper un poste de première importance dans le gouvernement russe. Donc il ne s'agit pas d'oubli de sa part mais d'un regrettable dysfonctionnement dû au rodage de sa nouvelle équipe. Il savait que je viendrais voir Nina et m'a demandé, en passant, de régler ces petits problèmes pécuniaires. Combien vous dois-je pour que tout soit à jour ? Vous acceptez les dollars, je suppose...»

Ils quittent les bureaux et, guidés par une infirmière, s'engagent sur un sentier, au milieu des sapins. «Il me reste mille dollars, en tout et pour tout», chuchote Oleg avec une mine de joueur décavé. Eva sourit : «Ce n'est pas grave. On mangera des pâtes et on dormira dans la voiture...»

Le sentier contourne un petit étang clôturé par un treillis en bois. Une dizaine d'enfants, accompagnés de trois éducatrices, jouent autour de ce plan d'eau. À l'appel de l'infirmière, une petite fille en bonnet de laine se détache du groupe, accourt, attrape la main d'Eva comme si elle la connaissait depuis toujours. «Tu verras, mes poissons me parlent!»

Ils arrivent vers un étroit portillon fermé par un crochet. Nina l'ouvre sous le regard vigilant d'une éducatrice, s'approche du bord, commence à réciter une comptine. L'eau frémit, striée de nageoires, dorée d'écailles. L'enfant sort de sa poche un bout de pain, lance des miettes aux poissons, les appelant par leurs prénoms. «Tss!» murmure-t-elle soudain, et l'on entend un léger clapotis – celui des bouches qui attrapent les dernières miettes ou rien. «Ils disent que le pain était bon mais qu'ils préfèrent les biscuits...» L'enfant s'accroupit, regarde les poissons s'éloigner, semble oublier les adultes. Ses lèvres bougent dans une conversation inaudible. Oleg se rend compte que ces quelques secondes lui laissent le temps de voir le ciel renversé dans la transparence sombre de l'étang, d'entendre un oiseau, de respirer plus lentement. Oui, de se sentir vivre.

«Nina, nous en avons apporté deux autres mais ils ne savent pas encore parler, dit Eva. Tu vas leur apprendre le russe...» L'enfant ouvre le sachet et chuchote: «Attention, l'eau est froide, ne vous enrhumez pas!» Un éclair orangé de deux corps disparaît dans l'étang. Elle se redresse, regarde Oleg et Eva avec l'insistance qui cherche des mots, inconnus à cet âge: «Je vous attendrai... je dois vous montrer aussi mes tortues. La prochaine fois, papa viendra avec vous, oui?»

Ils ne s'arrêtent pas pour la nuit, se font un café très fort, continuent à rouler, comme pour échapper à la question de l'enfant. À la frontière, Oleg ne se cache plus – tout leur paraît dérisoire après les dernières paroles de Nina. Son père écopera huit ans, au moins. Quand il sortira, Nina sera une jeune fille et lui, un clochard, à la santé ravagée par les camps.

Eva parle avec une colère qu'Oleg n'a jamais entendue dans ses propos : « Ce n'est pas du tout une enfant inadaptée ! C'est notre monde qui est inadapté à des êtres comme elle. Vous l'imaginez, elle qui ne sait que faire confiance et aimer, vous l'imaginez à Saint-Pétersbourg ou à Berlin ?

– Jourbine savait qu'il ne pourrait pas refaire ce monde. Il a choisi cet îlot de Lugano. Un mauvais feuilleton télévisé permettait de payer six mille dollars par mois pour ce paradis. Le piège est là : pour créer un îlot libéré des saletés de ce monde, il nous faut salir

notre âme. Oui, il faut montrer Catherine II en train
de copuler avec des grenadiers et puis avec un cheval !
– Votre ami Jourbine a une excuse : son enfant. Pensez
plutôt à tous ceux qui fabriquent les mêmes déchets et
s'achètent un "îlot de Lugano" juste pour eux et leurs
maîtresses.
– Vous pouvez me compter parmi eux, Eva. À une
époque, j'ai bien gagné ma vie grâce aux documentaires
commandés par les oligarques. Vous croyez qu'avec cet
argent j'ai essayé de faire un film sur Lanskoï et Catherine ? Pas du tout ! Je me suis acheté une grosse bagnole,
j'ai loué un grand trois-pièces près de la Nevski et, à un
moment, j'ai même eu deux nanas à qui je faisais croire
que j'allais décrocher pour elles un casting de rêve…
– Et puis ?
– Et puis Kozine est mort et j'ai compris : la vraie
mort était cette vie que je menais… En fait, j'ai décidé
d'être plus rusé que le monde. J'ai commencé à faire
cette série télévisée et, à chaque épisode, j'espérais appor-
ter une nuance qui changerait tout. Il y avait, je me
souviens, une scène de viol : un favori de Catherine l'a
quittée pour épouser une demoiselle d'honneur. La
tsarine leur a envoyé ses sbires. Jourbine voulait une
action très crue, physique… J'ai réussi à filmer, dans
la chambre des jeunes mariés, une poupée de chiffon
qui suivait ce viol (en réalité, cette agression n'a jamais
eu lieu). L'épisode a eu un succès fou. Et cette poupée,

personne ne l'a même remarquée… Le monde est bien plus malin que nous, il efface tous nos "îlots de Lugano" ou bien il en fait des pièges : allez, tuez votre âme dans l'espoir de préserver l'âme d'une enfant…»

Vers minuit, ils font une halte, se garant dans un petit lacet, au milieu des collines. La nuit est limpide et l'air qui vient des montagnes sent la glace, une texture minérale, dure, privée de tout souffle de vie. Les étoiles ont la même dureté tranchante – indifférente à ces deux ombres humaines perdues dans le noir. Pour chasser la somnolence, Oleg fait quelques pas, inspire à pleins poumons, regarde le ciel : un vide sans le moindre signe de compassion pour ce qui se passe sous sa voûte. «S'y passe la vie d'Eva», se dit-il. L'enfant conçue pendant le bref retour en Allemagne d'un soldat permissionnaire, en 1943… Le soldat est reparti sur le front de l'Est, a repris son service : dans un avion de reconnaissance, il survolait Leningrad assiégé, où mouraient vingt mille personnes par jour, et il prenait des photos pour que la Luftwaffe puisse mieux bombarder les défenseurs de la ville et ses usines. Un jour, il a vu un nœud ferroviaire, des enfants et des vieillards qui montaient dans un convoi d'évacuation. Il n'a pas photographié cet endroit-là… Sa fille, Eva, est née en avril 44, le soldat était déjà fait prisonnier par les Russes. Vers ce temps-là, un autre soldat s'est arrêté dans un champ labouré d'obus qui, l'a-t-on informé, marquait la frontière russo-polonaise. Sa fatigue était telle que l'événement l'a peu frappé. Il a eu juste un sourire vague. «Moi, Sergueï Erdmann, d'origine allemande, j'ai libéré la Russie...» Soudain, son visage s'est crispé dans un spasme qui le poursuivait depuis trois ans, depuis ce jour d'hiver où, au milieu d'un village incendié par les Allemands, il avait vu quatre corps d'enfants brûlés au lance-flammes...

Oleg ferme les yeux, pour éviter la vue de ce ciel qui a reflété, indifféremment, ces naissances, ces morts, les cris des enfants se débattant sous un jet de feu et l'enfance de cette petite Eva qui, ne sachant pas encore parler, savait distinguer les bombardiers qui arrivaient et ceux qui, ayant accompli leur tâche, s'éloignaient de la ville dont il restait si peu de maisons intactes. Le ciel a vu tout cela sans qu'aucune de ses étoiles se ternisse de compassion.

Dans l'obscurité, ils se retrouvent, s'étreignent, opposant au noir glacé qui les fixe ce bref instant – un lien fragile et le plus solide que l'homme puisse espérer dans sa vie.

«Je ne sais ce qu'elle éprouvera, Nina, en revoyant son père après huit ans d'absence. Le mien a été libéré par les Soviétiques en 48. J'avais quatre ans quand je l'ai vu pour la première fois... Ne vous inquiétez pas, Oleg, nous trouverons une solution pour elle. Nous reviendrons...»

Ils reprennent le chemin avec le sentiment d'entamer un combat d'arrière-garde. Le monde est massif, impassible, sûr de son bon droit, celui de dérouler sa ronde de toujours – guerres, départs, espérances trompées, vies humaines effacées comme cette volée de neige qui balaie la voie et disparaît, remplacée par une nouvelle brassée de flocons.

Le matin est brumeux et la route passe maintenant au milieu des vastes replats gris, humides, des champs gardés par des arbres assoupis. L'air qui remplit la voiture est tout autre – la tiédeur d'un hiver las, qui n'a pas l'habitude de lacérer la respiration. Leurs pensées s'allègent, se voilent, perdent de leur tranchant.

Sur les vieilles « cartes de Lanskoï », cette région d'Italie est présente : le lac de Garde, la vallée du Pô, Mantoue… Ils roulent sans doute à quelques kilomètres du trajet que prévoyait Catherine. Peut-être même se serait-elle arrêtée dans ce village où ils décident de faire escale…

Ils laissent la voiture à l'entrée d'une place vide, entourée de petites maisons. Sur un côté de la place, on voit une galerie à colonnes et l'architecture modeste, presque pauvre, d'une église. Ils y vont, plutôt pour fuir la pluie, les cafés sont encore fermés.

Santa Maria delle Grazie. Ils sourient – un nom

glorieux pour un édifice si simple. Une façade nue, plate et certainement le même dépouillement à l'intérieur, se disent-ils en poussant la porte...

L'exubérance qui déferle sur eux n'a rien à voir avec la richesse ou une décoration luxueuse. Non, la nef est d'une taille quelconque, le manque d'ouvertures empêche la lumière de jaillir, la voûte joliment peinte ne provoque pas de vertige. Une église humble. Ce qui éblouit, c'est la multitude de fragments de corps – symboles de la plus banale faiblesse humaine. Les colonnes basses, à mi-hauteur des murs, sont recouvertes d'ex-voto : moulages de mains, de cœurs, de seins féminins et, on ne le devine pas tout de suite, ces affreux bubons de la peste. Guérison, fertilité, lactation, plaies et maladies... Et entre ces colonnes recouvertes de milliers d'organes sont sculptés des condamnés, sauvés grâce à sainte Marie. L'un s'apprête à être pendu, un autre a déjà posé sa tête sur un billot...

Ce condensé naïf de frayeurs et d'espérances se prolonge sur des tablettes votives, d'une candeur encore plus désarmante. Un enfant que, sous le regard de la Vierge, deux hommes retirent d'un puits, un charpentier que la céleste intercession protège d'une chute de poutres, un incendie évité de justesse... Cette chronique des malheurs déjoués avance dans le temps – la mère de Dieu planant sur son nuage sauve des cyclistes menacés par une locomotive et aussi les passagers des voitures entrées en collision…

Avant de quitter l'église, Oleg lève la tête. L'irrésistible et enfantine soif de vivre dont l'église est emplie trouve son dernier degré : sous la voûte est suspendu un crocodile ! Un vrai reptile empaillé – enchaîné, aux mâchoires attachées de grosses cordes. Une gargouille bien plus réelle que tous les monstres de pierre.

Ils s'arrêtent sur le parvis, sous un soleil invisible mais dont on sent déjà le toucher. Éblouissement grisant, brève impression d'inappartenance, absence de toute trace de passé, d'origine, de biographie personnelle… Sous leurs pieds, sur l'asphalte de la place, transparaissent les dessins délavés – de larges tableaux fugaces qui remontent à une fête où les peintres de rue ont laissé ces copies de Léonard, Raphaël, Titien…

Une buvette, à l'angle de la place, vient d'ouvrir, ils s'y installent, commandent du pain grillé, du café. Ils parlent de Catherine et de Lanskoï qui voulaient partir pour trouver sans doute cette délivrance-là : ne plus être tsarine et favori, ne plus porter l'âge qu'ils avaient, ni leurs titres, ni ce que le temps et les autres avaient fait d'eux. N'être que cette matinée-là, sur une place vide, à quelques pas d'une petite église qui renferme la quintessence de la vie des humains, de leurs souffrances, peurs, espoirs. Plonger pour la dernière fois dans le condensé de ce monde et en sortir pour renaître sous une nouvelle identité, dans une autre vie.

«Catherine et Lanskoï n'auraient pas pu le faire en Russie, dit Oleg quand ils reviennent à la voiture et se remettent en route. À Saint-Pétersbourg, trop de liens étouffants, trop de souvenirs meurtris. En Allemagne non plus – pour les mêmes raisons. Nous sommes… enfin, les Allemands sont trop graves, leur pensée fige la vie. Non, le seul endroit pour être transfigurés comme ils le rêvaient, c'était ce village de Grazie…»

Sans s'en apercevoir, il glisse vers le sommeil et une heure plus tard, c'est un hennissement qui le réveille. Eva a garé la voiture sur un chemin de terre et s'est endormie elle aussi. Ils se secouent, voient un homme monté à cheval qui s'éloigne d'une allure ample, libre. Le soleil est déjà haut, les champs brillent, pareils à des lacs.

De Ferrare, Eva appelle la sœur d'Aldo Ranieri. La vieille femme dit qu'elle sera de retour chez elle ce soir.

«Nous avons le temps de faire un tour…», murmure Eva d'un air un peu mystérieux.

Ils repartent, étonnés par l'extrême limpidité avec laquelle la vie se présente à eux.

«Ce qui m'a toujours frappé dans l'histoire de Lanskoï, dit Oleg, c'est la haine que lui vouait sa parentèle.

D'habitude, les proches étaient ravis de voir l'un des leurs partager la vie de la tsarine : des prébendes pleuvaient sur la famille. Son cas est différent. Il devient une brebis galeuse pour les siens, la honte de la lignée. Après sa mort, les Lanskoï commandent une fresque du Jugement pour leur chapelle domaniale : dans le vert paradis se prélassent leurs aïeux méritants, dans les flammes de l'enfer se tord le pauvre amant de Catherine… »

Eva semble hésiter en parlant :

« Il l'aimait… Une situation sans précédent. Et, pour ses proches, une injure au bon sens, une passion contre nature… Lanskoï ne demande rien, ne brigue rien et, du coup, n'apporte aucun bénéfice à sa famille. Il aime, tout simplement. C'est insupportable, non ? »

Ils rient, tant ce monde leur paraît stupide. C'est cette bêtise que Catherine et Lanskoï voulaient fuir. Traverser la Russie, la Pologne, l'Allemagne, la Suisse et se retrouver là, sur cette route éclairée par un soleil d'hiver, se fondre dans le reflet de sa lumière sur l'écorce des arbres, dans l'ondoiement des longues tiges qui bercent leurs hampes au bord d'un étang…

Ce que ressent Oleg est infiniment neuf pour lui, il voudrait absolument l'expliquer à Eva. Dire que le déchirement russo-allemand qu'il traîne depuis son enfance s'efface et qu'il va apprendre à vivre sans y penser. Il l'exprime confusément, s'embrouille, Eva sourit, murmure un vers souvent cité, dit-elle, par Aldo :

« *"Non son chi fui. Perì di noi gran parte…"* Aldo pensait que Catherine répétait des paroles semblables en préparant sa fuite. *Je ne suis plus celle que j'étais. Une grande part de moi est morte…* Elle espérait revivre. Ne serait-ce que pour la durée de quelques jours de février sur une petite route ensoleillée, comme celle-ci… »

Ils parlent aussi de leur film. Jamais sa trame ne leur est apparue aussi claire. Il faudra débuter à la façon de Kozine : évoquer l'inévitable Histoire, avec ses guerres, le faste de ses règnes, sa gravité verbeuse. Et puis, montrer sa démentielle répétition, sa rotation de dessin animé. Ce n'est pas un hasard si Catherine utilisait si souvent le mot « comédie »… Enfin, quand ce vaudeville tragique aura révélé toute son absurdité, le laisser s'épuiser – sur l'écran, il ne restera que cet empereur détrôné quittant Saint-Pétersbourg par une nuit de juin, son violon sous le bras… Et aussi cet autre, sortant de son cachot, montant sur les murs de l'enceinte et voyant la mer qui entoure de toutes parts la forteresse où il a passé plus de vingt ans de sa vie… Une femme et un homme qui marcheront à travers un parc couvert de givre et qui, sans se concerter, se diront soudain : « Et si nous partions ? Pour toujours… »

Vers deux heures de l'après-midi, ils quittent la route, traversent un village qui paraît endormi dans la douceur de cette journée d'hiver. Ils descendent de voiture, Eva s'engage dans une allée de hauts peupliers dont la ramure verticale brille au soleil. Oleg, flairant une odeur torréfiée, longe la rue principale, cherche un café ouvert…

Quand il revient, portant deux gobelets bien pleins, Eva est déjà assez loin sur ce chemin qui semble presque blanc dans la luminosité de l'air. Il fait quelques pas et, soudain, il voit !

Une ligne, d'un bleu plus dense que le ciel, coupe le chemin au bout de l'allée. Il voudrait courir, crier sa joie, saluer la mer, mais il a peur de renverser le café.

Cette marche ralentie lui laisse le temps de comprendre qu'il a déjà vu cette silhouette féminine avançant entre deux rangées de peupliers. C'était en Crimée, dans un pays disparu, dans une vie où il se reconnaît à peine. Il était, alors, quelqu'un qui se débattait entre ses deux origines, souffrait de son passé, désirait fébrilement réussir son avenir. Un homme qui ne savait pas comment se définir face à ce monde et qui s'inventait des identités compliquées, des alibis, des justifications d'être…

Eva se retourne, s'arrête, l'attend. Il se dit qu'une définition très brève lui suffit désormais. Une identité simple, libre comme cette enfilade aérienne ouverte sur la mer.

Un homme dans le regard d'une femme aimée.

La Musique d'une vie
prix RTL-Lire
Seuil, 2001
et « Points », n° P982

Saint-Pétersbourg
(photographies de Ferrante Ferranti)
Le Chêne, 2002

La Terre et le Ciel de Jacques Dorme
Mercure de France, 2003
Le Rocher, 2006
et « Folio », n° 4096

La femme qui attendait
prix littéraire Prince-Pierre-de-Monaco 2005
Seuil, 2004
et « Points », n° P1282

Cette France qu'on oublie d'aimer
Flammarion, 2006
et « Points », n° P2337

L'Amour humain
Seuil, 2006
et « Points », n° P1779

Le Monde selon Gabriel
Mystère de Noël
Le Rocher, 2007

La Vie d'un homme inconnu
Seuil, 2009
et « Points », n° P2328

Le Livre des brèves amours éternelles
Seuil, 2010
et « Points », n° P2765

RÉALISATION : PAO ÉDITIONS DU SEUIL
CPI FIRMIN-DIDOT À MESNIL-SUR-L'ESTRÉE
DÉPÔT LÉGAL : JANVIER 2013. N° 109551 (115489)
– Imprimé en France –